Kazuki TAKAHASHI

高橋和希

kana

《MAIN CAST》

MUTÔ YÛGI

Résumé des épisodes précédents

Yûgi a réussi à percer le mystère du puzzle millénaire qui lui a été remis par son grand-père. Depuis ce jour, Yûgi possède le pouvoir occulte de faire apparaître son double qui sommeille en lui ! Yûgi est invincible aux jeux, jusqu'au jour où il trouve sur son chemin le directeur de la Kaiba Corporation, le jeune Seto Kaiba...

Les deux garçons s'affronteront au jeu de cartes Magic and Wizards... Deux duels mémorables, dont Yûgi sortira gagnant ! Kaiba devra quant à lui se soumettre au jeu de la sanction infligé par Yûgi qui le plongera dans le coma...

Un jour, le génial inventeur du jeu Magic and Wizards, Pegasus jr. Crawford, vient défier Yûgi... Pegasus possède, comme Yûgi, un item millénaire, "l'œil millénaire". Cet objet lui permet de pratiquer le "mind scan" qui consiste à lire dans les pensées d'un autre ! Pour la première fois de son existence, Yûgi perd une partie et doit subir le jeu de la sanction infligé par Pegasus... Pegasus prend alors le grand-père de Yûgi en otage en l'enfermant dans une caméra vidéo !! Pour délivrer son grand-père, Yûgi se voit obligé de participer au tournoi qu'organise Pegasus sur son île, le royaume des duellistes. Yûgi emmène ses amis avec lui sur cette île pour affronter d'autres duellistes... Un chasseur de primes américain, Bandit Kierce, enferme nos amis dans une grotte... Et pour s'échapper de ce piège, ils devront affronter les frères Meikyû, deux player killers qui gardent un labyrinthe. Le passage obligé menant vers la sortie...

YU-GI-OH !

Yu-Gi-Oh!

Volume 12

Sommaire

Battle 97

LA DERNIÈRE CARTE

LE "DÉMON" ET LE "RED EYES BLACK DRAGON" VONT FUSIONNER !!!
LA FUSION
LA FUSION DES CARTES DE MAGIE !!!
L'APPEL DU DÉMON
Attaque 2500
Défense 1200
RED EYES BLACK DRAGON
Attaque 2400
Défense 2000
ET VOILÀ LE "BLACK DEMON DRAGON" !!!
BLACK DEMON DRAGON
Attaque
3200

ZRUU
ZRUU
LE BLACK DEMON DRAGON !!!
LES FRÈRES MEÏKYU (Aîné) Points de vie 900
LES FRÈRES MEÏKYU (Cadet) Points de vie 780

EN AVANT POUR LE ROUND FINAL !!

NUOWHOHOHO !
ZDOOOOOM

...!
GRRR... QU'EST-CE QUI LE FAIT MARRER ?

ABRUTIS ! VOUS AVEZ DÉJÀ OUBLIÉ ?
VOUS NE POUVEZ FRANCHIR CETTE ÉTAPE QUE PAR UN MOYEN TERRESTRE !
EN FUSIONNANT TES CARTES, TU OBTIENS UN MONSTRE DE LA FAMILLE DES DRAGONS !

LE DRAGON EST UN MONSTRE VOLANT. TU NE POURRAS PAS SORTIR DU LABYRINTHE AVEC LUI !!
TU NE PEUX PAS ATTAQUER LE "GATE GUARDIAN" EN L'UTILISANT !!
PAR CONTRE, LUI, IL PEUT T'ATTAQUER SUR L'INTÉGRALITÉ DU TABLEAU ! HA HA HA !

URPS...
SAPRISTI ! JE NE M'EN SOUVENAIS PLUS...!
IL ME L'AVAIT DIT QUAND J'AVAIS SORTI LE RED EYES DRAGON... MAIS DANS MON ÉLAN, J'AI COMPLÈTEMENT OUBLIÉ TOUT ÇA...!!

YÛGI, TU LE SAVAIS, PAS VRAI...? TU AVAIS L'AIR SÛR DE TOI QUAND TU AS FAIT FUSIONNER LES MONSTRES...
DIS ? ÇA VA ALLER, HEIN ?
PAS DE SOUCI !!!
JÔNO-UCHI ! IL RESTE DES CHOSES À FAIRE !
ZRUUU ZRUUU ZRUUU
J'ÉTAIS CERTAIN QU'ON POUVAIT COMPTER SUR TOI !
HE HE HE !!!
LES FRÈRES CHAUVES ! MON TOUR EST TERMINÉ !
BLAM
HE HE ...
YÛGI ! ON COMPTE SUR TOI !!
ON NE SORTIRA DE CE TROU QUE SI L'ON GAGNE !!
C'EST LE DERNIER OBSTACLE AVANT D'ARRIVER AU CHÂTEAU...
LE CHÂTEAU DE PEGASUS, CELUI QUI ENFERME LE SECRET DE MON ITEM MILLÉNAIRE...
GROO GROO
GROO GROO

À MOI DE JOUER !!!
MAIS, AU FAIT ...?
VLAF
JÔNO-UCHI points de vie 1300
YÛGI points de vie 1200

JE VIENS DE TIRER UNE CARTE TRÈS REDOUTABLE...
FUH FUH ...

!
LA CARTE DE MAGIE "FORCE" !!!
FORCE (CARTE DE MAGIE)
Elle permet de s'emparer de la moitié des points de vie de son adversaire pour les transformer en points d'attaque au profit de son équipe.
BLAM

UNE CARTE TRÈS RARE, UNE CARTE DE MAGIE ULTIME !!
LA CARTE DE LA FORCE ?!

ELLE PERMET DE DÉTOURNER LA MOITIÉ DE TES POINTS DE VIE POUR LES RÉCUPÉRER EN POINTS D'ATTAQUE !
HE HE !!!
COM-MENT ÇA ?!
LA MOITIÉ DES POINTS DE VIE ?!
JÔNO-UCHI Points de vie 1300
ÇA CRAINT !!!
YÛGI Points de vie 1200
JÔNO-UCHI Points de vie 650
FORCE (CARTE DE MAGIE)
Elle permet de s'emparer de la moitié des points de vie de son adversaire pour les transformer en points d'attaque au profit de son équipe.
YÛGI Points de vie 600

ET VOILÀ LE "GATE GUARDIAN" DU DONJON RENFORCÉ !!!
LE DIEU DE LA FOUDRE Attaque 2600
LE DIEU DE LA FOUDRE Attaque 3250
LE DIEU DU VENT Attaque 2400
LE DIEU DU VENT Attaque 3000

ZRRU ZRRUU
ズズズ

LA CARTE DE MAGIE "FORCE" NE PEUT FONCTIONNER PENDANT CE TOUR...
MAIS EN LES FAISANT FUSIONNER AU TOUR SUIVANT, ILS AURONT UN NIVEAU D'ATTAQUE DE 3500 POINTS.
TOUTES TES GESTICULATIONS NE TE SERVIRONT À RIEN. AU TOUR SUIVANT TOUT EST FINI !

GRR...

YUGI...
JÔNOUCHI...

VLAF
À MOI DE JOUER !!!

LA CARTE "SHIFT CHANGE" !!!

BIEN... ET MAINTENANT...

SUR CE TOUR, JE VAIS DIRIGER LE "BLACK MAGICIAN" VERS LA SORTIE DU LABYRINTHE.
BLAM
JE FAIS AVANCER LE BLACK MAGICIAN DANS LE JEU.
STAP STAP
HE HE... IL PREND LE RISQUE DE PROGRES-SER DANS LE LABYRINTHE.
L'INCONSCIENT... UNE FOIS ARRIVE À LA SORTIE, LE "GATE GUARDIAN" LUI FERA SA FÊTE !

ECOUTE-MOI BIEN !!!
QUELLE QUE SOIT LA DIFFICULTE, ON IRA DE L'AVANT !!!
TANT QU'IL RESTERA UNE POSSIBILITE, ON LA JOUERA !!!
SWAP
SWAP
ET MAINTENANT...
SWAP
DOM
... NOUS Y SOMMES !!
ET EN PLUS ...
... JE PLACE CETTE CARTE DANS LE JEU !

GROOO
LA "RÉSURRECTION DES MORTS" !! JE FAIS RESSUSCITER LE MONSTRE ENNEMI ET JE LE METS EN DÉFENSE !!!
LA RÉSURRECTION DES MORTS (MAGIE)
Le sort de magie ressuscite
un monstre et s'empare de son
âme pour en faire
GROOO
GROOO
AVANCER DANS LE JEU MAINTENANT... HE HE...
À MON TOUR !!!
LE "GATE GUARDIAN" VA PORTER UNE ATTAQUE SUR LE BLACK MAGICIAN !!!
UNE ATTAQUE COLLECTIVE ! LE MAFÛSHÔ GEKIHA !!
GROOO
GATE GUARDIAN
Attaque
3500
GROOO
GROOO
HE HE... SI JE SUPPRIME LE GATE GUARDIAN, YÛGI N'AURA PLUS DE POINTS DE VIE !
ET ON GAGNERA !!
BLACK MAGICIAN
Attaque
2500

iNUTILE D'ATTAQUER !
?!
COMMENT ?! LE DIEU DE L'EAU !!!
ZGRAAAAAA
LE "DIEU DE L'EAU" VA TE RENVOYER TON ATTAQUE !!!
LE GRAND MUR AQUATIQUE !!!
GROOOOO
iL A FAIT RESSUSCIT LE DIEU D L'EAU AVE SA CARTE ?!
iL FAIT DONC PARTIE DU "GATE GUARDIAN" ! ÇA LUI A PERMIS DE CONTRER MON ATTAQUE !!

OUAIF !! YÛGI ! NICE !!

ILS S'EN SONT ENCORE BIEN TIRÉS SUR CE TOUR...
J'ESPÈRE QU'ILS ONT UN PLAN POUR LE BOSS FINAL...?

URGL...
L'ENFOIRÉ...
LE DIEU DE L'EAU EST AVEC EUX... MES ATTAQUES NE PORTERONT PAS !

JÔNO-UCHI, C'EST À TOI DE JOUER !
OUAIS !!!

JE SUIS PERSUADÉ...
... QU'IL DOIT Y AVOIR DES MOYENS POUR GAGNER !!

AU TOUR SUIVANT, ILS VONT DÉTRUIRE LE "DIEU DE L'EAU" !! APRÈS ÇA, ON N'AURA PLUS AUCUN MOYEN POUR STOPPER LEURS ATTAQUES !
TOUT REPOSE SUR LA CARTE QUE VA TIRER JÔNO-UCHI !!
VLAF

!!
CETTE CARTE...

!
...
HE HE...
JE VIENS D'AVOIR UNE IDÉE MARRANTE ...
L'IMITATEUR (CARTE D'ILLUSION)
Elle permet de reproduire la carte de l'adversaire. Mais il faut posséder une marionnette pour pouvoir copier le monstre adverse.
LA CARTE DE L'IMITA-TEUR .....!!

L'IMI-TA-TEUR ?!
COM-MENT ...?!
LES FRÈRES MEIKYU (Aîné) Points de vie 900
LES FRÈRES MEIKYU (Cadet) Points de vie 780
EN FAIT ...
... JE VAIS M'EMPARER DE LA MOITIÉ DE VOS POINTS DE VIE POUR LES TRANSFORMER EN POINTS D'ATTAQUE !
C'EST MA RE-VAN-CHE !!!

JE VAIS PRENDRE CETTE CARTE POUR...
... LA COPIER SUR CELLE DE LA "FORCE" !!!
SPAAF

ET VOILÀ LE BLACK DEMON DRAGON !!!
DOMF
QUOI ...?
LES FRÈRES MEIKYU (Aîné) Points de vie 450
LES FRÈRES MEIKYU (Cadet) Points de vie 390
3200
Attaque 4040
JÔNOUCHI !!!
BIEN !! AVEC CE NIVEAU D'ATTAQUE, IL PEUT BATTRE LE "GATE GUARDIAN" !!!
LE NUL !!!
IL N'A TOUJOURS PAS COMPRIS QUE LE DRAGON NE PEUT PAS SORTIR DU LABYRINTHE !!
À MON TOUR !!!

L'ATTAQUE DU "DIEU DU VENT" VIENT DE DÉTRUIRE LE "DIEU DE L'EAU" !!
ZGROOOOW
...!
YUGI ! MAINTENANT, TU ES DÉMUNI, TU N'AS PLUS AUCUN MOYEN POUR TE DÉFENDRE DE NOS ATTAQUES...
AU TOUR SUIVANT, NOUS ALLONS GAGNER !!!
HE HE HÉ...
HÉ HÉ HÉ...
HEIN ...?!
TU N'AS ENCORE RIEN REMARQUÉ ?
LA RAISON POUR LAQUELLE J'AI FAIT TRAVERSER LE LABYRINTHE PAR LE BLACK MAGICIAN...
COMMENT ...?

MA CARTE DE MAGIE "SHIFT CHANGE" !!
SHIFT CHANGE (MAGIE)
EH OUI, UN MONSTRE SECONDAIRE PEUT PRENDRE LA PUISSANCE D'UN AUTRE MONSTRE PLUS FORT QUE LUI !!

!!
C'EST... PAS POSSIBLE ?!

GRO-GNE...
IL SUFFIT QUE L'UN DE CES MINABLES ARRIVE À TRAVERSER LE LABYRINTHE POUR QU'IL ÉCHANGE SON NIVEAU DE PUISSANCE AVEC UN AUTRE... C'EST POUR ÇA QU'IL L'A FAIT AVANCER DANS LE JEU...!

ATTENTION...
SHIFT CHANGE !!!
KYUUUUUUN
DOM

LE GRAND FLASH !!!
OOOOOM

ZBOO
ズズズ
ZRUUUU
ZRUUUU
FUAAARG!!!
ZRUUUU
LES FRÈRES MEÏKYU (Cadet) Points de vie 0
LES FRÈRES MEÏKYU (Aîné) Points de vie 0
ON A GAGNE !!!

Battle 98 LAQUELLE CHOISIR ?!

ÇA VEUT DIRE QUE...
... YÛGI ET JÔNOUCHI ONT...
... RÉCUPÉRÉ LES 10 ÉTOILES !!!
AHA HA ! NOTRE ÉQUIPE VIENT DE L'EMPORTER !!!
YOUPIIIII !!!
ZDOOO
ZDOOO
ZDOOO

BLAAM
ON A GAGNE LE DROIT D'ALLER AU CHÂTEAU !!
KTCHAC

FUH FUH...
LE JEU N'EST PAS TERMINE...
ZRUUU
ZRUUU
ZRUUU

...!
ILS CONTINUENT À RICANER...?
JE DOIS VOUS FÉLICITER POUR AVOIR REMPORTE LA PARTIE.
ÇA NE NOUS FAIT RIEN DE PERDRE LES ÉTOILES !
ON DIRAIT QUE VOUS AVEZ OUBLIE UNE CHOSE...

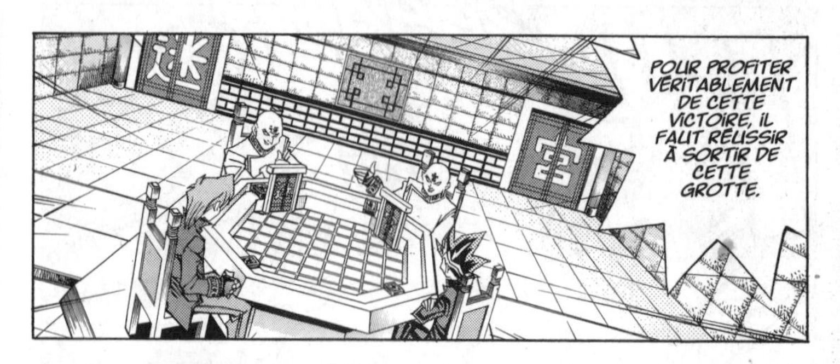
POUR PROFITER VÉRITABLEMENT DE CETTE VICTOIRE, IL FAUT RÉUSSIR À SORTIR DE CETTE GROTTE.

UHM !
HÉ HÉ...
JE N'AI PAS OUBLIÉ... TU EN AVAIS PARLÉ AU DÉBUT...
IL FAUT DEVINER SI C'EST LA PORTE MEI OU LA PORTE KYÛ QUI MÈNE À LA SORTIE...
ON VOUS A BATTUS TOUS LES DEUX, AU MÊME INSTANT...
IL FAUT BATTRE L'UN DE VOUS DEUX POUR OUVRIR LA PORTE QUI ARBORE SON NOM...
NORMALEMENT, LES DEUX PORTES DEVRAIENT S'OUVRIR EN MÊME TEMPS.

ON NE PEUT OUVRIR QU'UNE SEULE PORTE À LA FOIS !
ZDOOOOOOM
QUOI ?!
VOUS ÊTES VRAI-MENT IMMON-DES !
ALORS, ÇA NE SERT À RIEN DE LES BATTRE TOUS LES DEUX !
SI ON SE TROMPE DE PORTE, C'EST GRILLÉ !!!
ALLEZ ! UNE SEULE PORTE EST VALABLE.
LA PORTE "MEI"
OU LA PORTE "KYŪ"...?
IL FAUT FAIRE UN CHOIX !
ZRUUU
ZRUU

GLOUPS...
ZRUUU ZRUU
LA PORTE "KYŪ" EST LA BONNE...
NON, C'EST LA PORTE "MEI" !
MERDE ! LEQUEL DE CES DEUX ENFOIRÉS DIT LA VÉRITÉ ?
SI C'EST POUR DIRE ÇA, FERMEZ-LA !

KRUU KRUU...

ILS PRÉTENDENT QUE L'UN DES DEUX DIT LA VÉRITÉ...

IL N'EST PAS CERTAIN QUE LEURS PAROLES M'AIDENT À DÉBUSQUER L'IMPOSTEUR...
JE DOIS ME SOUVENIR...
JÔNOUCHI A POSÉ LA QUESTION SUIVANTE...
SI L'UNE DES PORTES EST LA BONNE... GUIDE-MOI VERS TA PORTE !
ILS ONT FOURNI LA RÉPONSE SUIVANTE...

ILS ONT TOUS LES DEUX DÉSIGNÉ LA PORTE "KYÛ"...
CE QUI DONNE À PENSER QUE MEÏ EST LE MENTEUR...
MAIS MEÏ NE S'EST PAS PRONONCÉ... CE QUI VEUT DIRE QU'IL N'A PAS MENTI. ÇA DOIT ÊTRE UNE RUSE SUPPLÉMENTAIRE POUR NOUS INDUIRE EN ERREUR...
LES MOTS NE SONT POUR EUX QU'UN MOYEN DE NOUS PIÉGER !

J'AI MAL AU CRÂNE... J'PEUX PLUS RÉFLÉCHIR...! ASSURE POUR MOI...
JÔNO ! RESSAISIS-TOI !

EHE HE HE... C'EST BON DE LES VOIR PANIQUER...
VOUS N'AVEZ AUCUNE CHANCE DE TROUVER LA BONNE PORTE !!

...!
ILS ONT L'AIR D'ÊTRE PERSUADÉS QU'ON NE TROUVERA PAS LA PORTE...
QU'EST-CE QUI LEUR DONNE UNE TELLE ASSURANCE ...?

CHIS ENCORE UNE FOIS...
IL Y A QUATRE POSSIBILITÉS...
LA PREMIÈRE, C'EST LA PORTE MEÏ.
LA SECONDE, C'EST LA PORTE KYÛ...
LES DEUX PORTES SONT LES BONNES...
ET POUR FINIR, LES DEUX SONT MAUVAISES ET IL EXISTERAIT UNE TROISIÈME PORTE...

JE VOUS ACCORDE 5 MINUTES POUR RÉFLÉCHIR...
PENDANT CE TEMPS, VOUS N'AVEZ QU'À INSPECTER LES LIEUX...
HE HE...
ON DIRAIT QUE TU AS L'AIR DE SOUPÇONNER L'EXISTENCE D'UNE TROISIÈME PORTE...

OK ! ON SE SÉPARE ET ON FOUILLE TOUS LES RECOINS !
OUAIS !
JE VAIS PAR LÀ...

TU NE PRENDS PAS PART À LA RECHERCHE ?
JE SUIS BIEN ICI...
C'EST LA MEILLEURE PLACE POUR SE FAIRE UNE IDÉE...
HÉ HÉ...

PAR LAQUELLE ON EST ENTRÉS N'A PAS L'AIR D'AVOIR UN RAPPORT AVEC CE QU'ON CHERCHE...!

JE VAIS TE DIRE QUELLE EST LA BONNE PORTE...
COMMENT ?!

...!
TU AS DIT QUELQUE CHOSE ?
!
C'EST MOI...
GROO GROO
GROO

GROOO
C'EST PAS VRAI...?
GROOO
CETTE VOIX...!!
GROOO

GROOO
HÉ HÉ HÉ... ÇA FAISAIT UN MOMENT...
GROOO
GROOO
!!
TU COMPTES GLANDER ENCORE LONGTEMPS ICI ?
UN NOUVEL ITEM MILLÉNAIRE SE TROUVE À PORTÉE DE MAIN. C'EST MOI QUI T'AI GUIDÉ JUSQU'ICI, TU LE SAVAIS ?

TU DEVRAIS ME REPRENDRE AVEC TOI...
COMME ÇA, JE TE DIRAIS QUELLE EST LA BONNE PORTE ! JE SUIS UN BANDIT. POUR MOI, C'EST TRÈS FACILE DE DEVINER ÇA !!
GROOO
GROOO
GROOO

BAKURA ? QU'EST-CE QUE TU AS ?
...!
NON... ÇA VA...
CE N'EST RIEN, ÇA IRA...

J'AI COMPRIS... À CAUSE DE L'AUTRE FOIS, TU AS PEUR DE MOI ?
RASSURE-TOI ! JE NE SUIS PLUS LE MÊME !
ARRÊTE...!
JE N'AI PLUS CONFIANCE EN TOI !
JE VIENS TE PROPOSER MON AIDE POUR SAUVER TES AMIS !
JE VAIS ÊTRE CLAIR ! SI TU NE ME PORTES PAS SUR TOI MAINTENANT, TES AMIS NE SORTIRONT JAMAIS D'ICI...
GROO
GROO
...!!
ILS SERONT CONDAMNES POUR L'ÉTERNITE !!!

DONG
LES CINQ MINUTES SONT PASSÉES !!!

YÛGI... ON A BEAU CHERCHER, ON NE VOIT AUCUNE SORTIE POSSIBLE...
ET TOI BAKURA ? TU AS REMARQUÉ QUELQUE CHOSE ?

NON, RIEN...

JE NE VOIS QU'UN SEUL MOYEN QU'ILS POURRAIENT UTILISER POUR NOUS EMPÊCHER DE TROUVER LA BONNE PORTE...
JE DOIS MISER SUR CETTE POSSIBILITÉ...

ALORS, YÛGI ? TU DOIS FAIRE TON CHOIX !!
LA PORTE "MEI" ?
OU LA PORTE "KYÛ" ?
宮
迷

VLAM
?!
DEUX PIÈCES AVEC LES MOTS, MEÏ ET KYÛ ???

JE PRENDS CES PIÈCES DANS LA MAIN DROITE ET LA MAIN GAUCHE.
IL NE PEUT PLUS COMPTER QUE SUR LA CHANCE ?!
WAH HA HA HA HA

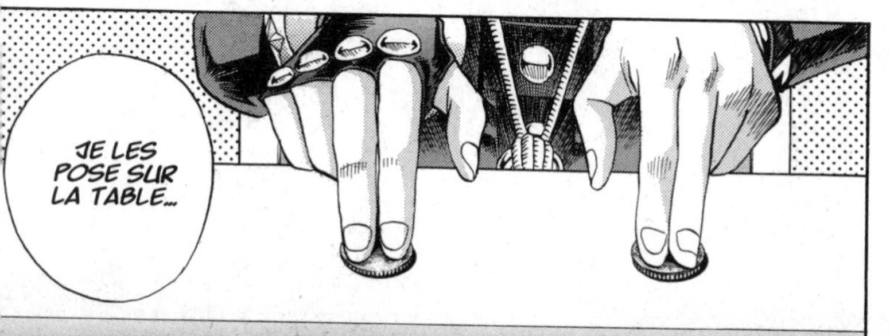
JE LES POSE SUR LA TABLE...

LE CHOIX QUE JE VIENS DE FAIRE...
C'EST LA MAIN QUI GARDE LA PIÈCE QUI DÉSIGNERA MON CHOIX !
D'ACCORD ?
OUI, JE SUIS D'ACCORD...
ALORS, C'EST LAQUELLE ?

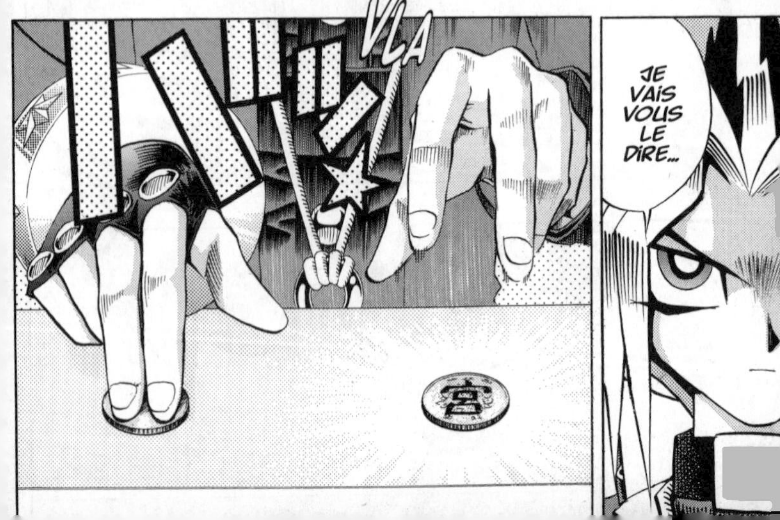
JE VAIS VOUS LE DIRE...
VLA

TU AS DÉVOILÉ LA PORTE "KYÛ"...
ÇA VEUT DIRE QUE CELLE QUE TU AS GARDÉE DANS TA MAIN EST "MEÏ"...
TU AS DONC CHOISI LA PORTE "MEÏ", C'EST BIEN ÇA ?!
C'EST LA PORTE "KYÛ"...
GROOO
HEIN ...?
GROOO
LA RÉPONSE EST LA PORTE "KYÛ" !
GROO
BA-KU-RA...!
GROO
BAKURA ...?!
C'EST TROP TARD...
YÛGI A CHOISI LA PORTE "MEÏ"...
HÉ HÉ HÉ ...
TU AURAIS DÛ GARDER TA FIERTÉ DANS TA POCHE ET ÉCOUTER TON AMI...
LA BONNE RÉPONSE EST...

LA PORTE "KYÛ" !!
BLAM
ET VOICI LA CLÉ QUI PERMET D'OUVRIR L'UNIQUE PORTE DE SORTIE !!

!!

HA HA HA !!!
YÛGI...! TU AS CHOISI LA MAUVAISE PORTE !
AINSI, TU NE POURRAS PLUS JAMAIS SORTIR D'ICI...

FUH FUH...
JE M'EN DOUTAIS...
!!
QUOI...?
VOUS NE VOUS ÊTES APERÇUS DE RIEN ? VOUS PORTEZ UN INDICE SUR VOS VISAGES...
HEIN ...?!
CET AIR DE SUFFISANCE QUE VOUS PORTEZ SUR VOS FACES ! VOUS ÉTIEZ PERSUADÉS QUE JE NE TROUVERAIS JAMAIS LA BONNE SOLUTION...

DANS CETTE HISTOIRE, IL Y A UNE RÉPONSE... MAIS ON PEUT DIRE AUSSI QU'IL N'Y EN A PAS...
SI JE CHOISIS "MEI", VOUS DITES "KYÛ"...
ET INVER-SEMENT ...

CE QUI VEUT DIRE QUE LES DEUX PORTES SONT LES BONNES...
MAIS ELLES SONT AUSSI FAUSSES... KRU KRU
BA-KU-RA ...?
HE...
MAIS TU N'AS PAS DONNÉ LA BONNE RÉPONSE !
C'EST NOUS QUI AVONS GAGNÉ LA...
JE SUIS DÉSOLÉ POUR VOUS, MAIS...

... MOI, J'AI CHOISI LA PORTE "KYÛ" !
BLAM
LES DEUX PIÈCES SONT "KYÛ" !!
QUOI ?!
ZRUU
ZRUU
SUR LA PIÈCE QUE J'AVAIS GARDÉE EN MAIN, IL N'Y AVAIT QUE "KYÛ", INSCRIT SUR UN SEUL CÔTÉ...
ET SUR LA PIÈCE QUE J'AI MONTRÉE EN PREMIER, IL Y AVAIT "MEI" D'UN CÔTÉ ET "KYÛ" DE L'AUTRE...
J'AVAIS OUBLIÉ DE VOUS PRÉCISER UNE CHOSE...
L'UNE DE MES MAINS...
... ÉTAIT UNE MENTEUSE.

UGL ! ON A PERDU... IL A RETROUVE LA LUMIÈRE DANS LE LABYRINTHE...
ZÜMF

HEIN...
JE...

YÛGI, ON A GAGNE !
BAKU-RA... TU VAS BIEN ?

BAKURA... IL AVAIT DÉJOUÉ LA RUSE...
IL A PARLE POUR M'EMPÊCHER DE DONNER MA RÉPONSE TOUT DE SUITE... C'EST CE QUI M'A SAUVÉ...

BON ! ON SORT D'ICI ET...
BLAM
... ON FONCE AU CHÂTEAU DE PEGASUS !!!

LE LABYRINTHE SOUTERRAIN GARDÉ PAR LES FRÈRES MEIKYŨ A ÉTÉ VAINCU PAR YUGI ET SES AMIS. ILS PEUVENT DÉSORMAIS REPARTIR AVEC LES DIX ÉTOILES EN MAIN...
ILS PEUVENT MAINTENANT SE DIRIGER VERS LE CHÂTEAU DE PEGASUS !!
Battle 99
LA DERNIÈRE PIÈCE

BLAM
ALLEZ, ON Y VA !!

GLANK
C'EST PAR LÀ !
TCHH... LES DEUX PORTES MÈNENT AU MÊME ENDROIT...
CES ABRUTIS DE FRANGINS SE SONT BIEN FOUTUS DE NOUS AVEC LEUR RUSE...

ON DOIT ENCORE SE MÉFIER ...
RIEN NE NOUS GARANTIT QUE CE CHEMIN NOUS MÈNERA À LA SORTIE...
SWAP
SWAP

PAPY...

ON EST PRESQUE AU CHÂTEAU DE PEGASUS !!
PATIENCE, ON ARRIVE !
JE VAIS BATTRE PEGASUS ET DÉLIVRER TON ÂME DE CETTE CAMÉRA !

YÛGI... NE T'EN FAIS PAS POUR MOI...
DANS UN COMBAT, IL NE FAUT PAS AVOIR PEUR DE PERDRE... C'EST DE CETTE CONFIANCE QUE NAIT LA VÉRITABLE FORCE.
TU AS BIEN COMPRIS ?
OUI !!!

TU CROIS QU'IL Y A DÉJÀ DES DUELLISTES QUI SONT ARRIVÉS AU CHÂTEAU ?
OUAIS...
KAIBA...
IL N'EST PAS INSCRIT COMME JOUEUR... MAIS IL ME SEMBLE QU'IL EST PARTI DIRECTEMENT AU CHÂTEAU, PAS VRAI ?

KAIBA...
EH !! REGARDEZ !

OUI ! MAIS, C'EST LA SORTIE !! CETTE LUMIÈRE ...!!
COM-MENT ?!
PAS DE DOUTE ! C'EST ÇA !
OUI !!!
ON VA SORTIR D'ICI !!
STAP
YOUPIIII !!!
YUGI ! ON DOIT ATTRA-PER CETTE LUMIÈRE !!!
OUI !!!
LA LUMIÈRE DE LA GLOIRE !!!

BATTLE 99

LA DERNIÈRE PIÈCE

SENSIBLEMENT AU MÊME MOMENT...

DONG
LE CHÂTEAU DE PEGASUS
Deuxième jour du tournoi
14 h 20

ET COMMENT VA M. CROCKETS ?
POUR LE MOMENT, LA SITUATION EST STABLE !
IL EST ENCORE RETENU PRISONNIER...

CE SATANE SETO KAIBA !!
À... À L'AIDE...

CLANG

SETO ! LIBÈRE CET OTAGE !!
URRRH...
DANS CE CAS, JE VEUX VOIR PEGASUS !!!
S'IL CONTINUE À ME FAIRE ATTENDRE, J'ÉCLATE LA TÊTE DE SON SBIRE !!
VOUS AVEZ PRÉVENU M. PEGASUS DE CET INCIDENT ?
OUI !
MAIS... IL M'A DEMANDÉ D'ATTENDRE LE TEMPS QU'IL FAUDRA...
LE TEMPS ...?
QU'EST-CE QUE PEGASUS A EN TÊTE ?

JE SAIS QUE C'EST VOUS QUI DÉTENEZ MON FRÈRE MOKUBA !
VOUS CONTINUEZ À LE NIER ?
URRH...

JE... JE N'EN SAIS RIEN...
JE NE MENS PAS...

J'AI RETIRÉ MES PRÉCIEUSES CARTES DE CETTE CAISSE...
... CAR SI TU CONTINUES À NIER... JE VAIS ÊTRE OBLIGÉ DE LA SALIR AVEC TON SANG...

URRGL...
POUR QUE L'I²* PUISSE S'EMPARER DE LA KAIBA CORPORATION, IL NOUS FAUT À TOUT PRIX LA CLÉ QUE DÉTIENT MOKUBA...
NOUS N'AVONS PAS ENCORE RÉCUPÉRÉ LA CLÉ... CE N'EST PAS LE MOMENT D'AVOUER, ÇA RISQUERAIT DE COMPROMETTRE LE PROJET...

* (INDUSTRIAL ILLUSION)

MER-DE...
POURQUOI FAUT-IL QUE JE ME RETROUVE DANS UNE TELLE SITUATION ...?

HIER SOIR... CET INCONS-CIENT EST VENU FRAPPER AU CHÂTEAU...
HÉ HÉ... SEULS CEUX QUI POSSÈDENT 10 ÉTOILES PEUVENT RENCONTRER M. PEGASUS...
M. KAIBA, IL EN SERA DE MÊME POUR VOUS...
VEUILLEZ ME SUIVRE DANS VOTRE CHAMBRE.

TU TE FOUS DE MOI ?!
ZBAAAM
M. CROCKETS !!!
SETOOOOO !!!
VLAF
HYii...

SARUWATARI... SI TU SAIS POINTER UNE ARME SUR QUELQU'UN, C'EST GRÂCE À L'ENTRAÎNEMENT QUE TU AS EU À LA KAIBA CORPORATION...
REGARDE BIEN, JE VAIS T'APPRENDRE COMMENT UTILISER UN REVOLVER...
KTCHAC
HYIII... NON, NE FAIS PAS ÇA !
CES EUX EFLÈTENT LA MENCE...
SARUWATARI, BAISSE TON ARME...
GRR...
TU VAS PORTER MA VALISE DANS MA CHAMBRE !
TU SERAS MON PRISONNIER JUSQU'À CE QUE PEGASUS ME REÇOIVE...
J'AI... J'AI COMPRIS...
MONSIEUR PEGASUS...
MAUDIT PEGASUS... JE SUIS IMPATIENT DE TE VOIR !!

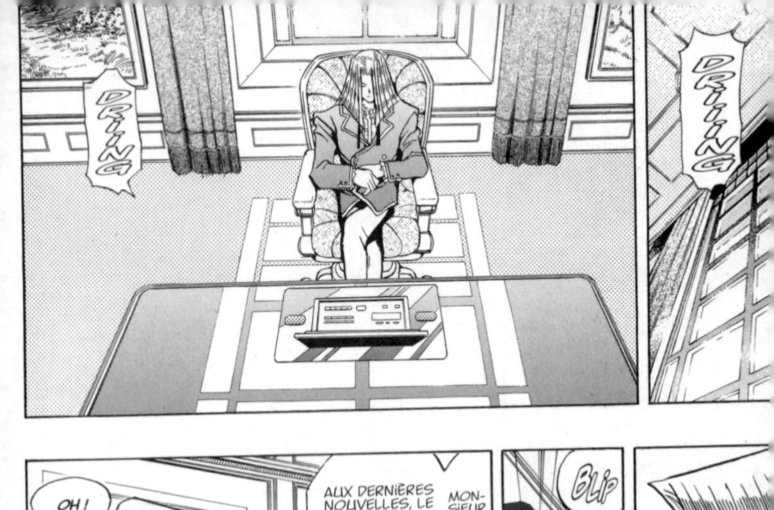
DRIING
DRIING

BLIP
MONSIEUR PEGASUS.
AUX DERNIÈRES NOUVELLES, LE GAMIN YÛGI A RÉCUPÉRÉ LES 10 ÉTOILES ET ILS SONT EN TRAIN DE SE DIRIGER VERS LE CHÂTEAU...
OH !
GREAT !

J'ATTENDAIS CE MOMENT !
CE YÛGI EST ÉPATANT !

MA
... IL IGNORE QUE LE CHEMIN QUI LE MÈNERA À MOI EST BEAUCOUP PLUS LONG QU'IL NE L'IMAGINE !
J'AI ENCORE ENVIE DE ME LAISSER DISTRAIRE ...
FUH FUH
OUI, OUI...
J'AI UN INVITÉ QUI S'IMPATIENTE...
BEEP

HELLO, KAIBA BOY !
....!!

PEGASUS!!!
PLAP
MONSIEUR PEGASUS....
OH...
KAIBA BOY, TON ATTITUDE ME DÉÇOIT...
QU'EST-CE QUE ES MAUVAISES ANIÈRES ?

PEGASUS...
TU AS ESSAYÉ DE T'EMPARER DE LA KAIBA CORPORATION EN MON ABSENCE.
JE SAIS QUE C'EST TOI QUI AS ENLEVÉ MOKUBA...

RENDS-MOI MON FRÈRE !!!
FUH FUH FUH...
BIEN SÛR...

MAIS À UNE SEULE CONDITION !
UNE CONDITION ?

TU L SAIS TRÈS BIEN.

...

COMME POUR CETTE CRAVATE ...
ON PEUT S'AFFRONTER À LA TIRER DES DEUX CÔTÉS, MAIS FINALEMENT, ON SE BAT POUR LE MÊME OBJET...
C'EST LA MÊME CHOSE POUR LE DUEL !

LES DEUX FINALISTES...
... SONT SUR LE POINT DE SE RETROUVER POUR ATTEINDRE LE MÊME OBJECTIF !

TU...
... NE VAS QUAND MÊME PAS...?

SI, JUSTEMENT...
TU N'AS QU'UN SEUL MOYEN DE RÉCUPÉRER MOKUBA...
IL FAUDRA QUE TU BATTES YÛGI !!

!!

EN VOYANT CE QUI VA SUIVRE, TU DEVRAIS COMPRENDRE QU'IL NE TE RESTE QU'UN SEUL CHEMIN À SUIVRE...
BLIP

PLAP
...!

DOM

MOKUBA!!!

SNIF... MON FRÈRE...

ET DIRE QU'IL EST DANS LE MÊME ÉTAT... EN TRAIN DE SE FAIRE SOIGNER...
MAIS TU PEUX ÊTRE RASSURÉ...

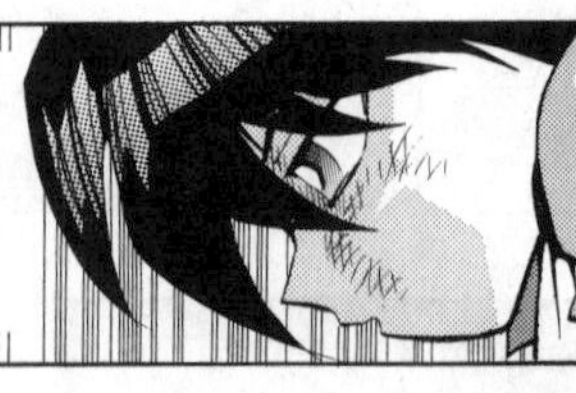
JE PROTÉGERAI TON ENTREPRISE... JAMAIS, JE NE LEUR DONNERAI LA CLÉ !
COMME ÇA, TU PEUX REVENIR QUAND TU VEUX...

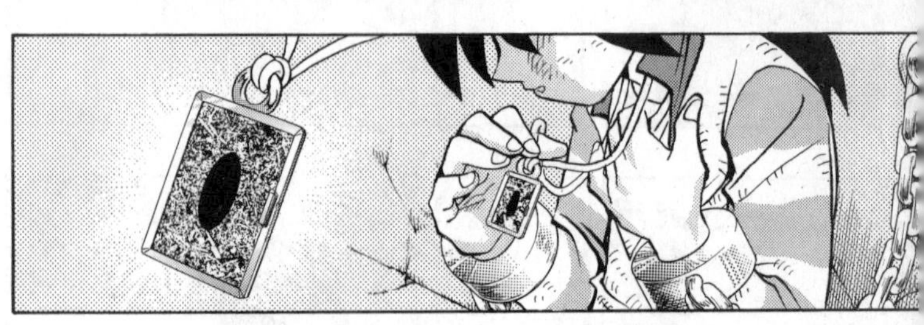

YŪGI DISAIT UNE CHOSE À LA FIN DU DEATH-T...
LE JOUR OÙ IL AURA RECONSTITUÉ LE PUZZLE DE SON ÂME, TON FRÈRE TE REVIENDRA...

TCHIC

C'EST AUSSI POUR CELA QUE J'AI DIVISÉ EN DEUX L'UNIQUE PHOTO QUE J'AI DE MOI AVEC MON FRÈRE... J'AI MIS LES DEUX MORCEAUX DANS DES PENDENTIFS SÉPARÉS... C'EST MON TRÉSOR...
J'AI ACCROCHE UN PENDENTIF AU COU DE MON FRÈRE...
GRÂCE À ÇA, JE SUIS PERSUADE QU'IL ME REVIENDRA...
JE PRIE POUR QUE ÇA ARRIVE...
LE PUZZLE DE SON ÂME...
C'EST LA DERNIÈRE PIÈCE...
MOKUBAAAAA!!!

GRR...
MOKUBA...!
SARU-WATARI ! DONNE À KAIBA BOY "CE QUE TU SAIS"...
FUAAH FUAAH
OUI !
SETO ! PRENDS ÇA !
5 ÉTOILES ...
ON LES A RETROUVÉES DANS SA POCHE, IL LES A VOLÉES SUR L'ÎLE !
VOUS N'ÊTES PAS FRÈRES POUR RIEN. HA HA HA...
PLAP
TU VAS MISER CES ÉTOILES EN FAISANT UN DUEL CONTRE YÛGI !
SI TU GAGNES, TU POURRAS ENTRER DANS LE CHÂTEAU OÙ SE TROUVE MOKUBA !
PEGASUS...
GROO GROO

N'OUBLIE PAS QUE TU PORTES À TON COU LA CRAVATE DU DESTIN...
GROOO
FUH FUH...

GSSH
NOUS VOILÀ ENFIN DEHORS !!!
OÙ SOMMES-NOUS SUR CETTE ÎLE ?
REGARDEZ LÀ-BAS !!!

LE CHÂTEAU DE PEGASUS !!!
BLAM
HUM !!!
ENFIN... ON Y EST ARRIVÉS...
MAIS, C'EST ...?

DONG
YUGI...
KAIBA !!!

DONG
Battle 100
DUELDISK, LE COMBAT DÉCISIF !!
KAIBA!!!

Battle 100
DUELDISK, LE COMBAT DÉCISIF !!

ゴリオオオォ
GROOOOO

GROOOOO
KAÏBA...
GROOO
QU'EST-CE QU'IL FOUT PLANTÉ LÀ ?!
IL VEUT PEUT-ÊTRE NOUS EMPÊCHER D'ENTRER ?

日本の星
TU DÉCONNES...? PAS POSSIBLE...
IL S'EST RALLIÉ À PEGASUS ...?
UHM... C'EST BIEN POSSIBLE...
CE MEC EST POURRI DE L'ESPRIT, TOUT EST À CRAINDRE !

GROOOOO
YUGI...
ON DOIT AVANCER VERS LE CHÂTEAU !
C'EST L'UNIQUE CHEMIN QUE NOUS DEVONS SUIVRE !!
GROO
GROO

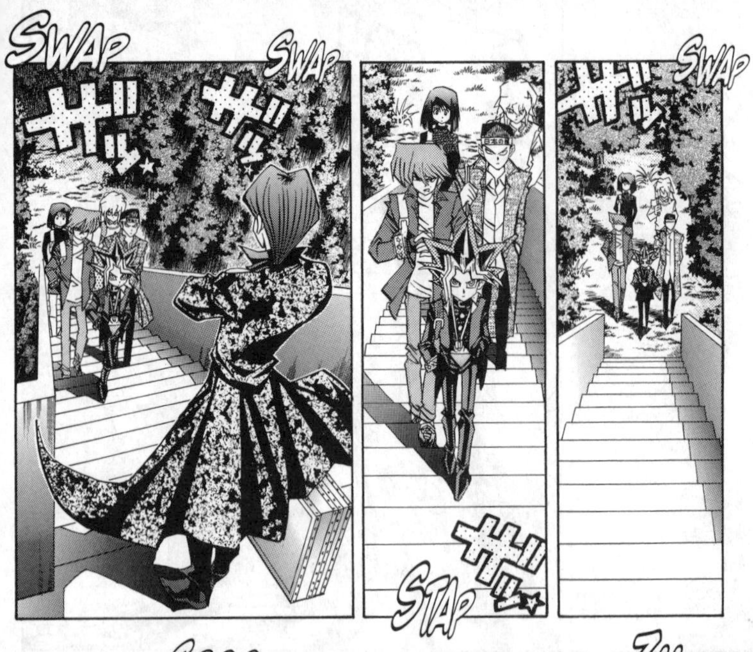
SWAP
ザッ
STAP
ザッ
SWAP
ザッ
SWAP
ザッ

ZUM
ズン

GROOOOO
ゴォォ
ォォォ

KAIBA ! LAISSE-NOUS PASSER !!!

TU NOUS GÊNES !!!
SI TU NE DÉGAGES PAS DE LÀ IMMÉDIATEMENT... JE VAIS TE FAIRE DESCENDRE L'ESCALIER EN ROULADE !

JÔNOUCHI...
GRR...

KAIBA...
KAIBA, LAISSE-NOUS PASSER, S'IL TE PLAIT...

YÛGI...
TU PENSAIS QUE RÉCUPÉRER 10 ÉTOILES SUR CETTE ÎLE... QUE TES COMBATS CONTRE D'AUTRES ADVERSAIRES SUFFIRAIENT...
... À TE MENER TRANQUILLEMENT AU CHÂTEAU ?

TU OUBLIES QU'IL EXISTE UNE PERSONNE DANS CET UNIVERS QUI PEUT TE BATTRE...
C'EST MOI...!
!!

YÛGI...
TANT QUE JE SERAI EN VIE, TU NE SERAS JAMAIS TRANQUILLE...

J'AI PRIS LA MESURE DE MA DESTINÉE EN VENANT SUR CETTE ÎLE...

GROO-OOOO
LÀ OÙ NOUS NOUS AFFRONTERONS SOUFFLERA LA TORNADE DU COMBATTANT !
ET CE, POUR L'ÉTERNITÉ !

KAIBA !!!

C'EST MAINTENANT QUE TU VEUX ME DÉFIER !

KAIBA ! LA BAGARRE, ÇA SUFFIT MAINTENANT !

KAÏBAAAA !!!
C'EST MOI QUI VAIS M'OCCUPER DE TOI ! JE VAIS T'ÉCLATER !
JÔNO-UCHI... DU CALME...
PFFH !

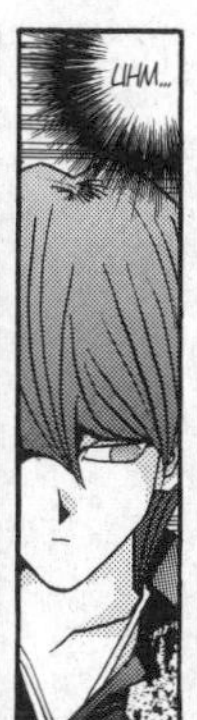
UHM...

OOOH...
CE LOOSER A RÉUSSI À RÉUNIR 10 ÉTOILES ?

DE SIMPLE LOOSER, JE VAIS TE TRANSFORMER EN ROI DES LOOSERS !!

URRRH... LE ROI DES LOOSERS...
CE SATANÉ...
C'EST UNE SORTE DE MIRA-CLE.

DANS LES TÉNÈBRES, J'AI CHERCHÉ À TROUVER UNE RÉPONSE À UN PROBLÈME...
LA RAISON DE MA DÉFAITE AU DEATH-T...
COMMENT YÛGI A RÉUSSI À CRÉER UN MIRACLE À CET INSTANT...

LES TÉNÈBRES M'ONT FOURNI UNE VAGUE RÉPONSE...
YÛGI POS-SÉDAIT UNE CHOSE...
... QUE JE N'AVAIS PAS...

UN ÊTRE HUMAIN DEVIENT FORT LORSQU'IL POSSÈDE UNE PERSONNE À PROTÉGER...
POUR LE SAVOIR, JE N'AI PAS D'AUTRE SOLUTION QUE DE GAGNER CE DUEL !
YUGI !!!
BLAM
SI TU VEUX ENTRER DANS CE CHÂTEAU, IL FAUDRA ME BATTRE !!
C'EST LE DUEL DU DESTIN !!!
GRII
KAIBA...
LE KAIBA QUE J'AI SOUS LES YEUX EST DIFFÉRENT DE CELUI QUE JE CONNAISSAIS AVANT...!
SON REGARD CACHE QUELQUE CHOSE !!
GROO GROO

YUGI ! TU NE DOIS PAS ACCEPTER CE DUEL !
TU AS DÉJÀ RÉCUPÉRÉ LES DIX ÉTOILES, ÇA N'AURAIT AUCUN SENS DE TE BATTRE CONTRE LUI !

JUSTEMENT, SI !
YUGI, TU N'AS PAS LE DROIT DE TE DÉROBER !!!

SARUWATARI ...!!
KAIBA ! T'ES DE MÈCHE AVEC PEGASUS, C'EST BIEN ÇA ?!

NE M'INJURIE PAS ! JE N'AI NULLEMENT L'INTENTION DE M'ALLIER AVEC CETTE ORDURE !

SEUL L'UN DE VOUS DEUX AURA LE DROIT D'ENTRER AU CHÂTEAU !!

YUGI, TOI, TU PEUX COMPRENDRE ÇA !
CE SANG DU DUELLISTE QUI COULE EN NOUS... EST DE NOUVEAU EN ÉBULLITION.

LE SANG DU DUELLISTE !!!

KAIBA, J'AI BIEN REÇU LE MESSAGE !!!
J'ACCEPTE LE DUEL !!!
GROO
GROO

ET JE TE BATTRAI !!!

VLAF
SUIS-MOI, JE VAIS TE MONTRER LE LIEU DE NOTRE COMBAT !!

VOILÀ LES 10 ÉTOILES

JE VOIS ÇA !
C'EST BON, TU PEUX ENTRER DANS LE CHÂTEAU !

HE HE HE...
ME VOILÀ LE PREMIER ARRIVÉ !
UHM...
C'EST YÛGI...
ET EN PLUS, IL EST AVEC L'HÉRITIER DE LA KAIBA CORPORATION...
SRAA
SRAA

YÛGI ET SES POTES ONT RÉUSSI À SORTIR DU TROU...
PAS GRAVE...
JE CROIS QUE JE VAIS ASSISTER À UN SPECTACLE INTÉRESSANT... JE VAIS LES OBSERVER AVANT D'ENTRER AU CHÂTEAU... KRU KRUU...

GROo
GROo
GROo

DONG

YÛGI ! ON VA MISER 5 ETOILES !!!
SEUL, LE VAINQUEUR POURRA ENTRER AU CHÂTEAU. COMPRIS ?
D'ACCORD ...!
KTCHAC
ON VA UTILISER LE DUEL-DISK !
LA NOUVELLE BATTLE MACHINE POUR JOUER À MAGIC AND WIZARDS !
VLAM

LE DUEL-DISK !!!
UNE MACHINE HIGH-TECH QUI PERMET D'AFFICHER LES MONSTRES EN 3D !!
CONTRAIREMENT AU RÉGLAGE UTILISÉ CONTRE CE BON À RIEN...
... CETTE FOIS, ON VA CONFIGURER LA MACHINE EN "MODE EXPERT" !
GRR...
DONG
ON TIRERA DES CARTES AU SORT ET ENSUITE ON LES PLACERA DANS LE PORTE-CARTES !!
KSHH
NOUS AVONS CHACUN 2000 POINTS DE VIE...
PLIP
... QUE L'ON RÈGLE SUR LE COMPTEUR.
YUGI ! TU DOIS BATTRE KAIBA !
YUGI, TU ES PRÊT ?!
OUAIS !!!
JE VAIS GAGNER... À TOUT PRIX !!

LE DUEL !!!
VLAF
ON TIRE CHACUN CINQ CARTES DU PORTE-CARTES...
KSHH
... QUE L'ON PLACE ENSUITE SUR LE DUELDISK !!!
APRÈS, ON PLACE SUR LE CENTRE DU DISQUE LE MONSTRE QUI SERVIRA DE MONSTRE PRINCIPAL !!
CURSE OF DRAGON
★★★★★
Attaque 2000
Défense 1500
VS
GERGOIL POWERED
★★★★★
Attaque 1600
Défense 1400
IL
SHLUUU IL
ON LANCERA ENSUITE LE DISQUE EN DIRECTION DU CENTRE DU TABLEAU !!
IL IL
GYULUULUUU

ZDOODOO
LES CARTES ET
LES MONSTRES
APPARAISSENT
ALORS EN TROIS
DIMENSIONS !!

ZDOO
ZDOODOOO
C'EST DONC ÇA, LA FORME LA PLUS ÉVOLUÉE DE CE JEU DE CARTES !!
DÉMENT... LE MODE EXPERT... C'EST CARRÉ-MENT DINGUE !!

JE COMMENCE LE PREMIER !!!
MONSTRE PRINCIPAL, "GERGOIL POWERED", PASSE À L'ATTAQUE !!!
GROO
GROO
GROO
HÉ HÉ... MON MONSTRE NE FAIT PAS LE POIDS FACE À CELUI DE YÛGI...
VOILÀ MA PARADE...

ZUGYUUU
... J'ATTAQUE LA CARTE MASQUÉE !!!
!!
POWER BEAM !

COMMENT ?! ON PEUT ATTAQUER DIRECTEMENT LES CARTES ?!
GROOOOOO
D'ATTAQUER UNE CARTE MASQUÉE ! CAR ON NE CONNAIT PAS LA PUISSANCE DE LA CARTE QUE L'ON ATTAQUE... SI ON RATE, ON PEUT PERDRE PAS MAL DE POINTS DE VIE !
MAIS EN ME FIANT À MON INSTINCT, JE VIENS D'ÉLIMINER UNE CARTE FAIBLE !!
GREMLIN ★★★★★
Attaque 1300
Défense 1400
LA CARTE MASQUÉE ÉTAIT EN POSITION D'ATTAQUE... EN LA PERDANT, J'AI PERDU DES POINTS DE VIE...
YÛGI
Points de vie
1700
JE VOIS... CE MODE EXPERT MET AUSSI BIEN À L'ÉPREUVE LE SENS DE LA LECTURE DES CARTES QUE LA STRATÉGIE !
JE SENS LE FEU EN MOI !!
DOODOO DOOM
KAIBA, TIENS-TOI PRÊT !
LE MOMENT DE VÉRITÉ EST ARRIVÉ !

ZGROOOOOOM
L'ATTAQUE DE GERGOÏL VIENT DE PULVÉRISER UNE CARTE DE YÛGI !!
WA HA HA HA
Battle 101
DES HAUTS ET DES BAS !!
ZRUU ZRUU
AU LIEU D'ATTAQUER MES MONSTRES EN JEU, IL S'EN EST PRIS DIRECTEMENT AUX CARTES ...?
YÛGI
Points de vie
1700
JE SUIS PRÊT À RELEVER TOUS LES DÉFIS !!
GROO GROO
KAIBA, JE SUIS ICI POUR TE BATTRE !!!
ZDOOODOODOO
YÛGI ! C'EST UN VRAI COMBAT D'HOMMES !!!
GRÂCE À CETTE ULTIME CARD BATTLE !!!

Battle 101
DES HAUTS ET DES BAS !!

ゴオオォ
GROOOOO
HE HE
KAIBA OU YÛGI ...?
L'UN DES DEUX ENTRERA AU CHÂTEAU DE PEGASUS...
JE SUIS CURIEUX DE CON-NAITRE L'ISSUE DE CE COMBAT ...
YÛGI !!!
ÉCLATE KAIBA !!
GROo
GROo
GROo
YÛGi !
MÊME Si LE COMBAT NOUS OPPOSE, NOUS AVONS TOUS LES DEUX UN OBJECTIF EN COMMUN !

CELUi DE PULVÉRISER LA TÊTE DE PEGASUS !
C'EST VRAi...
MAiS Si TU VEUX VOIR EXAUCER CE SOUHAiT, iL FAUDRA PERDRE CONTRE MOi...
CAR TU N'ES PAS CAPABLE DE BATTRE PEGASUS !!
QUOi ?!

YÛGI, REGARDE BIEN ÇA !
BLAM
DUEL-DISK !!
GYUUUUN
C'EST L'UNIQUE MACHINE CAPABLE DE VAINCRE PEGASUS !!
LA TECHNIQUE DE JEU DE PEGASUS LUI PERMET DE LIRE DANS LES PENSÉES DE SES ADVER-SAIRES...
NUL NE SAIT S'IL S'AGIT D'UN VÉRITABLE POUVOIR DE SA PART OU D'UNE ASTUCE...

L'AFFICHAGE DES CARTES EN 3D PERMET DE DISSIMULER SES PROPRES PENSÉES ET EXPRESSIONS !
FACE À CETTE MACHINE, LE POUVOIR DE PEGASUS NE PEUT RIEN !!

GROOO
J'ENTER-RERAI PEGASUS DE MES PROPRES MAINS !!

TU TIENDRAS TON DISCOURS D'ARROGANT QUAND TU M'AURAS BATTU !!

ON REPREND LA PARTIE !!

À MOI DE JOUER !!!
MON MONSTRE PRINCIPAL, "CURSE OF DRAGON" POSSÈDE LA PUISSANCE NÉCESSAIRE POUR VAINCRE LE SIEN...
MAIS...
CURSE OF DRAGON
Attaque 2000
Défense 1500
Le monstre principal de Yûgi
VS
GERGOIL POWERED
Attaque 1600
Défense 1400
Le monstre principal de Kaiba

SI JAMAIS IL CACHE UNE CARTE DE MAGIE POUR RENFORCER SON MONSTRE... IL CONTRE-ATTAQUERA IMMÉDIATEMENT !!!

FUH FUH... TOUJOURS AUSSI PERSPICACE ...
ON DIRAIT QU'IL A DÉJÀ COMPRIS LES SUBTILITÉS DE CE JEU !

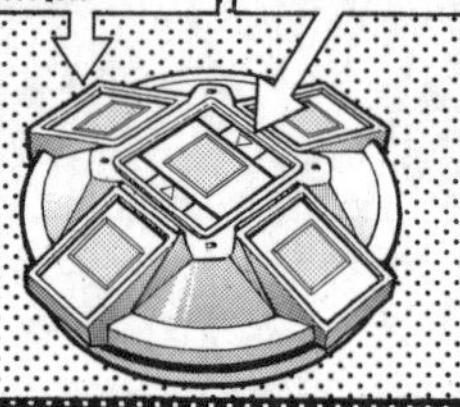
LE DUELDISK EST PRÉVU POUR ACCUEILLIR 5 CARTES QUI SERONT ENSUITE AFFICHÉES EN TROIS DIMENSIONS !
L'emplacement principal accueille le monstre qui se mettra en position d'attaque ou de défense.
Les autres emplacements servent aux cartes secondaires qui ne peuvent se mettre qu'en position d'attaque.
LE MONSTRE POSÉ SUR L'EMPLACEMENT PRINCIPAL SERA LE PREMIER À ÊTRE VISUALISÉ EN TROIS DIMENSIONS ET SERA CONSIDÉRÉ COMME LE LEADER DE L'ÉQUIPE...
PENDANT UN DUEL, UN SEUL MONSTRE PEUT ÊTRE JOUÉ.

MAIS... LES QUATRE AUTRES CARTES, SI ELLES SONT DES CARTES DE MAGIE OU DES CARTES PIÈGES, PEUVENT VENIR EN AIDE AU MONSTRE PRINCIPAL !
POUR GAGNER À CE JEU, IL FAUT QUE LES AUTRES CARTES COLLABORENT AFIN DE VENIR RENFORCER LE MONSTRE PRINCIPAL !!

ZRUu
ZRUu
ALORS, YÛGI ?!
ESSAIE DE BATTRE "GERGOIL", SI TU EN ES CAPABLE !!!
SI TU CROIS QUE JE DISSIMULE UNE CARTE PIÈGE, LAISSE-TOI GUIDER PAR TON INSTINCT ET ESSAIE DE L'ATTAQUER.
SI TU TOUCHES UNE CARTE PIÈGE, ELLE DISPARAÎTRA SANS CONDITION.

MAIS N'OUBLIE PAS QUE DES MONSTRES PEUVENT SE DISSIMULER DANS LES CARTES SECON-DAIRES.
CAR, SI LE MONSTRE QUE TU ATTAQUES POSSÈDE UN NIVEAU D'ATTAQUE SUPÉRIEUR AU TIEN, TU PERDRAS DES POINTS DE VIE !
J'AI OMPRIS... IL FAUT E MÉFIER DES CARTES ACHÉES...
MAIS, JE N'AI AUCUNE CARTE QUI SOIT PLUS FORTE QUE MON "CURSE OF DRAGON"...

ZDOOOOOO
BON ! JE N'AI PAS LE CHOIX, JE DOIS ATTA-QUER !!
VAS-Y !! "CURSE OF DRAGON" !!!
TU VAS TTAQUER LE GERGOIL OWERED" !!!

LES FLAMMES DE L'ENFER !!!
GROOO GROOO
BON !!!
ZRUU ZRUU
ET VOILÀ LE "GERGOIL POWERED" DÉTRUIT !!
HÉ HÉ...
IL ATTAQUE SANS SE MÉFIER...
LES POINTS QUE J'AI PERDUS NE REPRÉSENTENT PAS GRAND-CHOSE...
KAIBA
points de vie
1600
YUGI N'EST PAS DU GENRE À SE LAISSER INFLUENCER PAR LE BARATIN DE KAIBA !!
À MOI DE JOUER ! JE VAIS TIRER UNE CARTE !
VLAF
LA CARTE PERDANTE EST ÉJECTÉE DU DUELDISK !
ON PEUT RAMENER LE DISQUE VERS SOI ET AJOUTER UNE NOUVELLE CARTE !
HÉ HÉ...
MAIS...

JE N'AJOUTERAI PAS DE CARTE SUR CE TOUR ET JE CONTINUE LA PARTIE !!
À MOI "L'ÉPÉE DE LA REVANCHE" !!!
VLAM
AU TOUR SUIVANT, IL VEUT CHANGER DE MONSTRE PRINCIPAL...

L'ÉPÉE DE LA REVANCHE
★★★★★★

Attaque 2000
Défense 1600

PENDANT LE CHANGEMENT DE MONSTRE, LES SORTS DE MAGIE NE FONCTIONNENT PAS !

IL DOIT AFFRONTER SON ENNEMI PAR SES PROPRES MOYENS.

MAIS "L'ÉPÉE DE LA REVANCHE" INTÈGRE DANS SON SABRE LES ÂMES DES MONSTRES DISPARUS DANS SON ÉQUIPE. ENSUITE, IL EN PROFITE POUR AUGMENTER SA PUISSANCE DE 20% !!
GRO
GRO
COM-MENT ?!
LA VENGEANCE LUI FAIT AUGMENTER SA PUISSANCE ?!
L'ÉPÉE DE LA REVANCHE Attaque 2000
2400
C'EST DONC POUR ÇA QU'IL M'A LAISSÉ BATTRE SI FACILEMENT LE GERGOIL...!!
ZRUU
ZRUU
HÉ HÉ...
ET MAINTENANT, MON MONSTRE POSSÈDE UNE PUISSANCE SUPÉRIEURE AU "CURSE OF DRAGON" !!
À L'ATTAA-AAQUE !!!

ZDODOOOM
CURSE OF DRAGON
Attaque 2000
L'ÉPÉE DE LA REVANCHE
Attaque 2400
Kyiiin
HÉ HÉ...
COMMENT ...?!
LE "CURSE OF DRAGON" A DISPARU ?
?!
FLAP

J'AI MA CARTE DU "SHIFT CHANGE" !!!
SHIFT CHANGE
(CARTE DE MAGIE)
Elle permet d'échanger une carte en jeu contre une autre plus forte. L'attaquant ne pourra attaquer que la carte qui vient de prendre place dans le jeu. Avec cette carte, il est aussi possible de tendre un piège.
GRÂCE À LA MAGIE, LE MONSTRE AU PREMIER PLAN EST ÉCHANGÉ CONTRE UNE CARTE PLUS PUISSANTE !
VLAM
LE SHIFT CHANGE ?!
LA CARTE LA PLUS PUISSANTE DE MON JEU EST...
DONG
... CELLE DU "BLACK MAGICIAN" !!

ZGRAAAA
BLACK MAGICIAN !!!
GRAAA
BLACK MAGICIAN Attaque 2500
HE HE...
GRR...
"L'ÉPÉE DE LA REVANCHE" EST DÉTRUITE !
GRAAA
GRAAAAA
L'ÉPÉE DE LA REVANCHE Attaque 2400
KAIBA points de vie 1500
BIEN JOUÉ !!!
KAIBA !! TU AS ENCORE SOUS-ESTIMÉ YUGI !!
FUH FUH...
YUGI...
MON COMBAT CONTRE TOI...
... ME FAIT BOUILLIR LE SANG !

SPAF

JE VAIS EN PROFITER POUR CHANGER DE CARTE.
JE VAIS EN PLACER UNE POUR REMPLACER LE MONSTRE PRINCIPAL !!
TCHAC

SHLUUUU
SLO-WING. DISK !!

GROO GROOO
"LE GÉNIE DE LA LAMPE LA-DIN" !!
YÛGI ! À TOI DE JOUER !!!
LE GÉNIE DE LA LAMPE LA-DIN
Attaque 1800
Défense 1000

UAiS !!!
VLAF
JE TIR UN CART !!!
ET JE LA PLACE DANS LE DUELDISK !!!
JE VAiS METTRE LE "BLACK MAGiCiAN" EN MONSTRE PRiNCiPAL !
SLOWiNG. DiSK !
SHLLLLLL
BATTLE !!!
ZGRAAAGRAAA
ET J'ATTAQUE "LE GÉNiE DE LA LAMPE LA-DiN" !!

LA CARTE PIÈGE EST ACTIVEE !!!
COM-MENT ?!
UN PIÈGE !!!
BANG
LAMPE MAGIQUE !!!
LAMPE MAGIQUE (CARTE DE MAGIE)
Elle renvoie toutes les attaques.
LA-DIN VIENT DE SE CACHER DANS LA LAMPE ?!
SHUBAAAA
LA LAMPE RENVOIE L'ATTAQUE DE YÛGI.
GRAA
GRAA
LES ATTA-QUES REVIEN-NENT SUR YÛGI !

ZGRAAAA
"CURSE OF DRAGON" EST DÉTRUIT !!!
URGL ...!!
GRAAAA
SHUUUU
YÛGI
Points de vie
1200
GROOOO
KAÏBA...
GROO
TU AS RÉUSSI À ME PIÉGER... PAS MAL !
YÛGI !
POUR LE MEILLEUR ET POUR LE PIRE...
CES DEUX-LÀ SE DÉFENDENT BIEN...
KTCHA KTCHA

HE HE... YûGi ...
LE VÉRITABLE PIÈGE... JE TE L'AI GARDÉ POUR LA SUITE !

GROO GROOO
UN MONSTRE VRAIMENT PUISSANT ATTEND SON TOUR DANS MON JEU DE CARTES !

GROOO

HE HE...
JE VEUX RÉUSSIR LA FUSION DES TROIS "BLUE EYES DRAGON" !!

Battle 102 UNE PARTIE SERRÉE !!

GROOOOOOOO

ZDODOOOM
YÛGI VS KAIBA !!
L'ENJEU DU DUEL EST LE DROIT D'ENTRÉE AU CHÂTEAU DE PEGASUS !!

YÛGI
Points de vie
1200

KAIBA
Points de vie
1500

SATANÉ KAIBA... IL EST DOUÉ...
IL A RÉUSSI À PIÉGER YÛGI...
YÛGI ! LE DUEL NE FAIT QUE COMMENCER !!

POUR LE MOMENT, ILS NE FONT QUE SONDER LEURS FORCES...
LE PLUS SAUVAGE RESTE À VENIR !

KAIBA !!!
GROOOOOO
IL EST TEMPS DE RÉGLER NOS COMPTES !
JE VAIS TE BATTRE !!!

MON PLAN EST PARFAIT !!!
INUTILE!!!
BLUE EYES WHITE DRAGON
Attaque 3000
Défense 2500
GROOO
GROOOOO
MES TROIS CARTES DU "BLUE EYES WHITE DRAGON" ! LE SECRET DE MA VICTOIRE SE TROUVE DANS CES TROIS CARTES !
C'EST MON PRINCIPAL ATOUT !!

JE DOIS FAIRE FUSIONNER LES TROIS CARTES !!
RÉSISTANT !
INVINCIBLE !
LE PLUS FORT !!!

YÛGI
ZDOO DOOO
L'ESSENTIEL DANS CETTE HISTOIRE ? C'EST QUE L'ON VOIT DÉJÀ TA DÉFAITE !!
TU ES PRÊT ?!

À MOI DE JOUER !!!
MAGIC AND WIZARDS, LE MODE EXPERT
PRINCIPE DE JEU
Le dueldisk est divisé en deux zones de jeu : La zone principale (main card stage) et la secondaire (sub card stage). Ces deux zones accueillent un total de cinq cartes.
On ne peut utiliser qu'un seul monstre que l'on placera ensuite dans le main card stage (pour l'attaque et la défense).
Les 4 autres cartes resteront dans le sub card stage (en attaque seulement).
Le monstre principal, placé dans le main card stage, profite des capacités de ceux qui sont placés dans le sub card stage (les cartes du sub stage n'interfèrent pas entre elles).
Le joueur doit maintenir un nombre de cinq cartes, il a la possibilité d'en tirer des nouvelles pour combler les cartes manquantes.
Le monstre principal peut affronter directement le monstre adverse.
GROOO
GROO
LA LAMPE MAGIQUE RETOURNE DANS LE TAS ET ENLÈVE LE PIÈGE !!
"LE GÉNIE DE LA LAMPE LA-DIN" EST DÉLIVRÉ DE SON SORT ET REVIENT DANS LE JEU !!
DONG
LE GÉNIE DE LA LAMPE LA-DIN
Attaque 1800

MAIS IL EST MOINS PUISSANT QUE LE "BLACK MAGICIAN" DE YÛGI...
DANS CE CAS...

GROOOOOOO
... J'ATTAQUE LES AUTRES CARTES MASQUÉES !!!
MASEÏ KAENSÔ !!
URPS...
JE VIENS DE PERDRE MA CARTE DE MAGIE "L'EMPRISONNEMENT DE LA LUMIÈRE" !!
!!

JE LUI AI FAIT PERDRE UNE BONNE CARTE...!
CETTE CARTE LUI AURAIT PERMIS DE GELER LES MIENNES PENDANT TROIS TOURS...
MON TOUR EST TERMINÉ MAIS, MAINTENANT QU'IL SAIT OÙ SE TROUVE MA CARTE DE MAGIE "LA LAMPE MAGIQUE"...
... JE NE PEUX PAS LAISSER MON JEU COMME ÇA !
SHULIVLAAAF
JE MÉLANGE LES QUATRE CARTES !!!
MA CARTE EST MAINTENANT BIEN DISSIMULÉE !!!

IL MÉLANGE SES CARTES POUR M'EMPÊCHER DE LES ATTAQUER !

LA COMBINAISON DANS LE MÊME TABLEAU DE LA "LAMPE MAGIQUE" ET DU " GÉNIE DE LA LAMPE LA-DIN" EST TRÈS REDOUTABLE !
QUAND LE GÉNIE SE FERA ATTAQUER, LA CARTE DE MAGIE "LAMPE MAGIQUE" DÉCLENCHERA LE PIÈGE ET RENVERRA À YÛGI TOUTES SES ATTAQUES !

IL PEUT TOUJOURS ESSAYER D'ATTAQUER EN AVEUGLE MES CARTES MASQUÉES... MAIS S'IL TOMBE SUR LE BLUE EYES WHITE DRAGON, SON "BLACK MAGICIAN" N'Y SURVIVRA PAS !
YÛGI, COMMENT COMPTES-TU RÉAGIR ?

À MOI DE JOUER !!!

QUE COMPTE-T-IL FAIRE PENDANT CE TOUR...?
IL FAUT QU'IL ARRIVE À BRISER LE COMBO ENTRE LA LAMPE ET LE GÉNIE...
PAS DE SOUCI POUR YÛGI !

VLAF
JE TIRE UNE CARTE !!!

JE VIENS DE TIRER LA CARTE DE LA "BOÎTE MAGIQUE" !!!
LA BOÎTE MAGIQUE MORTELLE
JE LA PLACE DANS LE JEU !
KTCHAC
LOWING. DISK
GYULUULUUU
DONG
UNE CARTE SUR LAQUELLE JE PEUX COMPTER !!!
ESSAIE UN PEU D'ATTAQUER LE GÉNIE ! TU SUBIRAS ENCORE LE MÊME SORT DE MAGIE !!
HE HE...
KAIBA, TU PEUX DÉJÀ OUBLIER LA COMBINAISON ENTRE LE GÉNIE ET LA LAMPE !!

QUOI ?!
BLAM
LA CARTE DE MAGIE "L'ŒIL DE LA VÉRITÉ" !!!
L'ŒIL DE LA VÉRITÉ (CARTE DE MAGIE)
Celui qui est observé par l'œil doit dévoiler toutes ses cartes.
GRÂCE À LUI, JE VAIS CONNAÎTRE TOUTES TES CARTES !!
DOM

URGL...!!
BLAM

!!
MAIS ?!

GROOO
LE "BLUE EYES WHITE DRAGON" !!!
GROOO

IL EN AVAIT DÉJÀ UNE DANS SON JEU...
ZRU ZRU

LE VIEILL
IL CACHA UN WHIT DRAGON DANS SE CARTES
EN PLUS, JE SAIS QU'IL EN POSSÈDE TROIS !

TROIS CARTES DU WHITE DRAGON ?!
IL A UN JEU DE CARTES INVINCIBLE !

SI ! YUGI EST CAPABLE DE LE BATTRE !!!
IL A TOUJOURS GAGNÉ JUSQU'À PRÉSENT !!
ÇA SERA PAREIL AUJOURD'HUI !

MAIS POURQUOI...?

EN FAIT SON BUT SERAIT ...
PAS POSSIBLE ...?!
MAUDIT YÛGI...
GROOo
GROOo
DÉVOILER MES CARTES, QUEL AFFRONT !!!

POUR EXÉCUTER MON PLAN, JE DOIS D'ABORD TIRER LA CARTE DE LA FUSION !
MAIS ÉGALEMENT RÉUSSIR À RÉUNIR LES TROIS DRAGONS DANS LE TAS DE CARTES...
L'ATTAQUE ISOLÉE DU DRAGON NE POURRA RIEN CONTRE LE NIVEAU DE JEU DE YÛGI ! EN REVANCHE, S'IL BAT UN DRAGON, IL A LA POSSIBILITÉ DE RÉUTILISER SA CARTE DE LA "RÉSURRECTION DES MORTS."

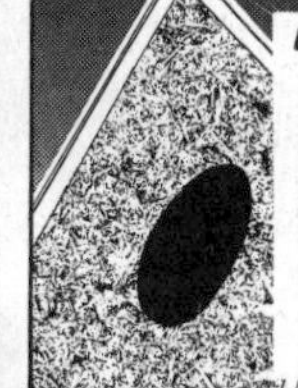

YÛGI, ATTENDS-TOI AU PIRE !!
JE RÉUSSIRAI CETTE FUSION !!
GROOOO
ゴオオオ
JE TE RENDRAI EN TRIPLE L'AFFRONT QUE TU VIENS DE ME FAIRE SUBIR !!

PAS DE DOUTE LÀ-DESSUS...
À SA PLACE, J'ESSAIERAIS DE FAIRE FUSIONNER LES TROIS DRAGONS...
IL FAUT QUE JE L'EN EMPÊCHE À TOUT PRIX !!

POUR LE MOMENT, JE N'AI AUCUNE CARTE POUR BATTRE UN WHITE DRAGON...

DANS CE CAS !!
DOM
LA "BOÎTE MAGI-QUE" !
DOM

QUO ?
LE "BLACK MAGICIAN" VIENT DE DISPARAÎTRE DANS L'UNE DES DEUX BOÎTES ?!

ZUBAABAAAM
HÉ HÉ... LA "BOÎTE MAGIQUE" EST UNE CARTE DE MAGIE QUI DÉTRUIT LES COMBOS DE SON RIVAL !!
DANS LA PREMIÈRE BOÎTE, LA LAMPE MAGIQUE EST SACRIFIÉE !!!
QUOI ?!
MA "LAMPE MAGIQUE" EST DÉTRUITE ...!!

LE "BLACK MAGICIAN" JAILLIT DE L'AUTRE BOÎTE !
VLAM
TCHA TCHA
URGL...
!!

GRAAA
LA MAGIE NOIRE !!!
GRAAA
SHUUU
LA-DIN EST DÉTRUIT !!!
LE GÉNIE DE LA LAMPE LA-DIN
Attaque 1800
BLACK MAGICIAN
Attaque 2500
GRAAA
L'EN-FOI-RÉ...
IL A RÉUSSI À BRISER MON COMBO ...!
KAIBA
Points de vie
800

KAIBA !!!
JE NE TE LAISSERAI PAS FUSIONNER LES TROIS DRAGONS !
J'ÉPUISERAI TES POINTS DE VIE AVANT QUE TU N'Y ARRIVES !

KRU KRUU... ESSAIE, SI TU EN ES CAPABLE...

YUGI, NE ME SOUS-ESTIME PAS !!
MES PLANS SONT BIEN PLUS PRÉCIS QUE TU NE LE PENSES.
C'EST LA PERFECTION MÊME !!

FUH FUH...

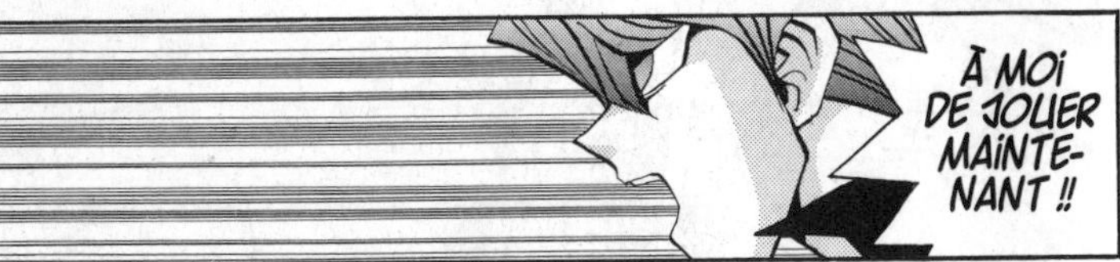
À MOI DE JOUER MAINTENANT !!

JE RAMÈNE LE DUEL-DISK !

SPAF !!
ET JE TIRE DEUX CARTES !!!

HE HE...
UN EFFROYABLE COMBO L'ATTEND...

SAGUY LE BOUFFON
Attaque 600
Défense 1500
DOM
ÉHE
ÉHE HÉ...
LA DESTRUCTION DU JEU DE CARTES (VIRUS)
MORT
Elle s'active en sacrifiant et en infectant les cartes dont le niveau d'attaque est inférieur à 1000 points. Elle supprimera ensuite toutes les cartes rivales dont le niveau d'attaque est supérieur à 1500 points.
VOILÀ CE QUE L'ON APPELLE UN COMBO DE LA MORT !!
JE PLACE "SAGUY LE BOUFFON" EN MONSTRE PRINCIPAL !
KTCHAC
GYULUULUULU
SLOWING. DISK !!
ET J'AJOUTE ENSUITE UNE AUTRE CARTE DANS LE SUB CARD STAGE !!
GROOO
GROO
MAIS, C'EST ...?!

ZRU ZRU ZRU
"SAGUY LE BOUFFON DES TÉNÈBRES" !!!
SAGUY LE BOUFFON DES TÉNÈBRES
Attaque 600
Défense 1500
COMME TU PEUX LE VOIR, LE MONSTRE PRINCIPAL EST EN DÉFENSE !
ET JE TERMINE MON TOUR !
SON NIVEAU DE DÉFENSE EST DE 1500 POINTS...
JE PEUX LE BATTRE FACILEMENT AVEC LE "BLACK MAGICIAN"... MAIS...

... JE SENS QUE ÇA CACHE UNE EMBROUIL-LE...
ZRU
ZRU

YUGI, TU N'AS PAS D'AUTRE CHOIX QUE D'ATTAQUER SAGUY...
JE LE LAISSERAI EN JEU JUSQU'À CE QUE TU TE DÉCIDES À L'ATTA-QUER...
TU ES PRIS DANS UN PIÈGE DÉMO-NIAQUE !
À MON TOUR !
JE TIRE UNE CARTE !
VLAF

UNE BONNE CARTE !!!

GAÏA LE CHEVALIER DES TÉNÈBRES
Attaque2300
Défense 2100

PROLIFÉRATION (CARTE DE MAGIE)

LA CARTE DE GAÏA ET CELLE DE LA PROLIFÉRATION !!

GAÏA A DÉJÀ BATTU SAGUY DANS UN COMBAT PRÉCÉDENT !

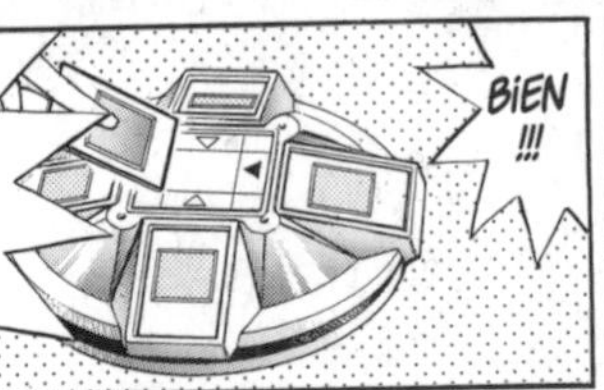
BIEN !!!

JE LES PLACE DANS LE DUEL DISK !!

DONG
GAÏA DEVIENT LE MONSTRE PRINCIPAL.
SPIRAL SHAVER !!!
ZBAAAAM
DODOOOM
ET IL ATTAQUE SAGUY !

"SAGUY LE BOUFFON DES TENÈBRES" EST DÉTRUIT !!
BLAM
HE HE... IL A MORDU !!!
KYAHAAAA KYAHAAAA HA HA HA HA
SHUUUUU
KYAHAAAAAAA
HA HAAA ...
GROo
GROo
COM-MENT ?!
GROo
GROo
GROo

シュウウ
SHUUUUUUU
LE CHEVALIER GAÏA EST EN TRAIN DE DISPA-RAÎTRE !!
ウウウ。

IL N'Y A PAS QUE GAÏA...

LE "BLACK MAGICIAN" VA AUSSI Y PASSER !!!
シュウウゥ
SHUUUUU

QU'EST-CE QUI SE PASSE ...?
ZRUU
ZRUU

VOILÀ CE QUI FAIT LA PUISSANCE DE CETTE CARTE !
LA CARTE DU VIRUS !!
BLAM
MORT
J'AVAIS PRIS SOIN DE CONTAMINER SAGUY, AU CAS OÙ...!
QUAND TU L'AS ATTAQUÉ, LE VIRUS S'EST ACTIVÉ ET A COMMENCÉ SON TRAVAIL !
LE VIRUS VA CONTAMINER TOUTES TES CARTES !!
LA CARTE DU VIRUS !!
TOUTES LES CARTES QUI ONT UN NIVEAU D'ATTAQUE SUPÉRIEUR À 1500 POINTS VONT ÊTRE ANÉANTIES !!!
GROOOOOOO
YUGI ! TON JEU DE CARTES EST FOUTU !!
MON JEU... DÉTRUIT ?!

SHUUUU
QUOI ..!!
"GAÏA LE CHEVALIER DES TENÈBRES" !!!
LA CARTE DU "BLACK MAGICIAN" EST EN TRAIN DE DISPARAÎTRE !!!
Battle 103
TIENS BON !!
LA CARTE DU VIRUS !!!
BLAM
MORT
VOILÀ CE QUI FAIT LA PUISSANCE DE CETTE CARTE !
LA DESTRUCTION DU JEU DE CARTES (VIRUS)
MORT
Elle s'active en sacrifiant et en infectant les cartes dont le niveau d'attaque est inférieur à 1000 points. Elle supprimera ensuite toutes les cartes rivales dont le niveau d'attaque est supérieur à 1500 points.
LA CARTE DU VIRUS !!!
ZRUU ZRUU
TOUTES LES CARTES QUI ONT UN NIVEAU D'ATTAQUE SUPÉRIEUR À 1500 POINTS VONT ÊTRE ANÉANTIES !!
ZDOOOODOOOODOOOO
TON JEU DE CARTES EST FOUTU !!

Battle 103 TIENS BON !!

ÇA CRAINT...
J'AI PERDU MES MONSTRES AVEC PLUS DE 1500 POINTS D'ATTAQUE...
ZRUU
ZRUU
COMMENT LUTTER AVEC DES CARTES D'UN FAIBLE NIVEAU ?

YÛGI ! JE VAIS TE FAIRE VIVRE UNE EXPÉRIENCE TERRIFIANTE QUI VA TE GLACER DÉFINITIVEMENT LE SANG !!
HE HE HE ...

CE SATANE KAIBA A UTILISE UNE CARTE IMMONDE ! LE COUP DU VIRUS...
YÛGI !!!
YÛGI N'A PLUS D'AUTRE CHOIX QUE DE CONTINUER LA PARTIE AVEC DES CARTES FAIBLES ET DES CARTES DE MAGIE...
MAIS KAIBA POSSÈDE TROIS CARTES DU WHITE DRAGON !
J'SUIS SÛR QU'IL RESTE UN TRUC À FAIRE !!
YÛGI...
TU NE DOIS PAS PERDRE ...!!

URPS... BIEN EFFRAYANT ...

KAIBA S'ÉTAIT FIXÉ POUR BUT DE DÉTRUIRE LE JEU DE YÛGI...
JE CROIS QUE LA CARTE DU VIRUS A ÉTÉ DÉCISIVE SUR CETTE PARTIE !!

IL NE RESTE AUCUN MONSTRE PUISSANT DANS LE JEU DE YÛGI...
IMPUISSANT COMME UN OISEAU AUQUEL ON AURAIT COUPÉ LES AILES...

KAIBA N'A PLUS QU'À SORTIR SES MONSTRES PUISSANTS ...
... ET IL SE FERA UN PLAISIR D'EN FINIR AVEC YÛGI !
KRUU KRUU...

À MON TOUR !!!

MAIS POUR LE MOMENT, NOUS N'AVONS AUCUN MONSTRE EN JEU...
MON MONSTRE N'EN FERA QU'UNE BOUCHÉE !
TU DOIS TIRER DEUX CARTES ET LES PLACER DANS LE DUELDISK !
KAIBA Points de vie 800

!!
YÛGI Points de vie 1200

LA CARTE QUE JE VIENS DE TIRER...
VLAF
L'APPEL DU DÉMON
Attaque 2500
Défense 1200
SILVER FANG
Attaque 1200
Défense 800
L'APPEL DU DÉMON...! SILVER FANG...
ZRULU
"L'APPEL DU DÉMON" POSSÈDE UNE ATTAQUE SUPÉRIEURE À 1500 POINTS...!
ZRULU
DE-TRUI-TE !!
MER-DE...
JE N'AI D'AUTRE SOLUTION QUE DE PLACER "SILVER FANG" EN POSITION DE DÉFENSE...
KTCHAC
ZRULU
ZRULU
ZRULU
ZRULU
GRRRRRRR
SILVER FANG
Attaque 1200
Défense 800
IL NE RESTE PLUS DANS TON JEU QUE DES...
... FUTURS CONDAM-NÉS !!
À MOI DE JOUER !
JE VAIS TIRER DEUX CARTES !!!
VLAF

HE HE...

DONG
HOLY ELF (CARTE DE MAGIE)
BLUE EYES WHITE DRAGON
Attaque 3000
Défense 2500
LA DEUXIÈME CARTE DU WHITE DRAGON !!!

FUH FUH... YUGI !
TU PEUX CONTINUER À TE METTRE EN DÉFENSE AUSSI LONGTEMPS QUE ÇA TE PLAIRA !
PENDANT CE TEMPS, JE PRÉPARE MON JEU !

GROOOOOOO
MON OBJECTIF EST DE RÉUNIR LA CARTE DE LA FUSION ET CELLES DES TROIS DRAGONS.
LES TROIS WHITE DRAGONS, LE COMBO ULTIME !!

SPASH
JE GARDE LE WHITE DRAGON AU CHAUD DANS LE SUB CARD STAGE... IL EN SORTIRA AU MOMENT OPPORTUN...
JE PLACE LA CARTE !!!
GYUUUUU
SLOWING. DISK !!
ZDOOOOOM
MON MONSTRE PRINCIPAL EST LE "MINO-TAURUS" !!!
ZDOO ZDOO
!
MINO-TAU-RUS !
IL VA DÉCHI-QUETER E SILVER FUONG !!!

URPS...
GYUUU
ZBAAAAM
AXE CRUSHER !!!
SILVER FANG EST DÉTRUIT !!!
SILVER FANG Défense 800
MINOTAURUS Attaque 1700

YÛGI !!!
YÛGI NE PEUT PLUS SORTIR DE MONSTRES PUISSANTS ?
IL EST EN TRAIN DE SE LAISSER MASSACRER...
YÛGI !!!
WA HA HA HA !!!
J'AI ENCORE EN RÉSERVE DES MONSTRES TRÈS PUISSANTS !!!
À LA LIMITE, J'AI PRESQUE HÂTE QUE CE MINOTAURUS DISPARAISSE DE MA PARTIE !
GRRG...
MAIS POUR TOI, MÊME UN MONSTRE COMME LE MINOTAURUS PARAÎT INVINCIBLE !

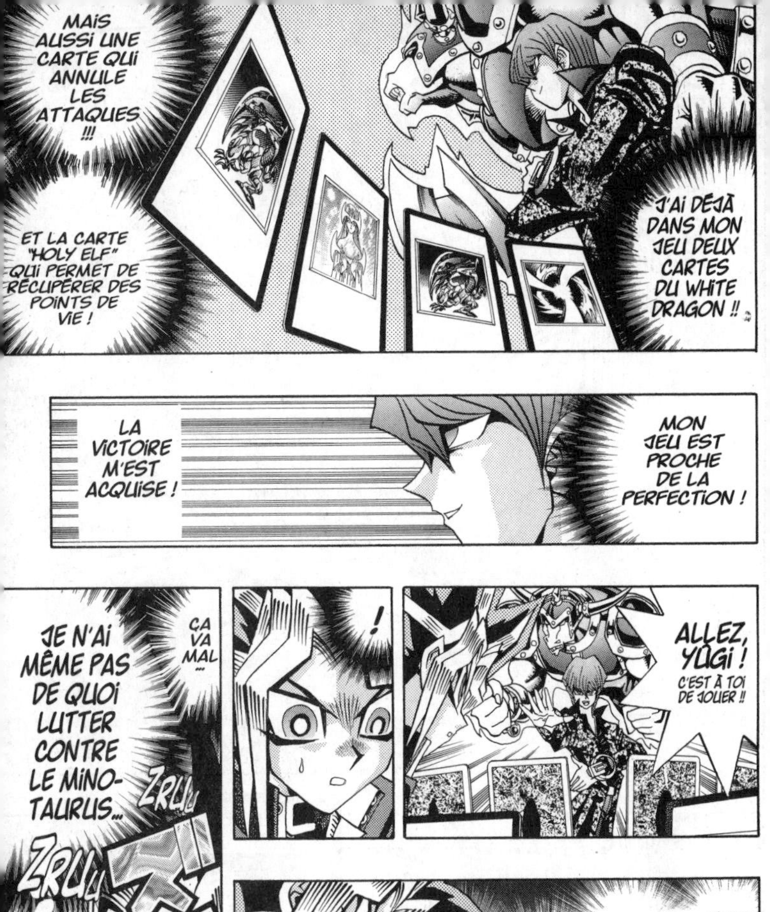
J'AI DÉJÀ DANS MON JEU DEUX CARTES DU WHITE DRAGON !!
MAIS AUSSI UNE CARTE QUI ANNULE LES ATTAQUES !!!
ET LA CARTE "HOLY ELF" QUI PERMET DE RÉCUPÉRER DES POINTS DE VIE !
MON JEU EST PROCHE DE LA PERFECTION !
LA VICTOIRE M'EST ACQUISE !
ALLEZ, YÛGI ! C'EST À TOI DE JOUER !!
!
ÇA VA MAL...
JE N'AI MÊME PAS DE QUOI LUTTER CONTRE LE MINO-TAURUS...
ZRUU
ZRUU

MON JEU...
LA CARTE DE LA "PROLIFE-RATION"
LA CARTE DE LA "LICORNE"...
ET UNE AUTRE QUI RÉCUPÈRE LES MONSTRES...

ALORS ! MONTRE-MOI TA CARTE !
JE SUPPOSE QUE TU VAS ENCORE LA PLACER EN DÉFENSE ?
!
JE N'AI PAS LE CHOIX, JE DOIS TIRER UNE CARTE...
TANT QU'IL ME RESTERA DES POINTS DE VIE, JE RÉSISTERAI !!
VLAF
SHUBAA
!!
LA CARTE DU "GRIFOR" !!!
AVEC CETTE CARTE, JE PEUX FAIRE QUELQUE CHOSE !
GRIFOR
Attaque 1200
Défense 1500
LE CIMETIÈRE DES MAMMOUTHS
Attaque 1200
Défense 800
JE PLACE CETTE CARTE !!
TCHAC

SLOWING. DISK !!
LE "GRIFOR" DEVIENT MON MONSTRE PRINCIPAL.
BAM
GRIFOR Attaque 1200
FUNH !!!
GRIFOR ?! ENCORE UN MONSTRE MINABLE QU'IL VA PLACER EN POSITION DE DÉFENSE !
LE MINOTAURUS N'EN FERA QU'UNE BOUCHÉE !
HÉ HÉ...
KAIBA, JE NE ME SUIS PAS MIS EN DÉFENSE !!
COM-MENT ?!
DONG
LA "LICOR-NE" !
E VAIS IRE UN OMBO AVEC CES DEUX ARTES !!!

BZZiBZZZi
GRIFOR ARROW !!!
LA LICORNE + GRIFOR
Attaque 1900
GRIFOR ★★★
Attaque 1200
Défense 1500
LA LICORNE
Renforce de 700 points d'attaque certains monstres.
MINOTAURUS
Attaque 1700
BZZi
MINO-TAURUS EST DÉTRUIT !!!
GWUOOOO
SHUUUU
JE VIENS DE RETIRER 200 POINTS DE VIE À KAIBA !!
FUH FUH...
KAIBA
Points de vie
600
DOM
ÇA C'ÉTAIT BIEN JOUÉ !!!
DÉSOLÉ POUR TOI, KAIBA ! MAIS YÛGI COMMENCE JUSTE À ENTRER DANS LA PARTIE !
YÛGI ! CONTINUE COMME ÇA !

TU AS ENFIN RÉUSSI À TE DÉBARRASSER DU MINOTAURUS...
J'AURAIS PRESQUE ENVIE DE TE REMERCIER !

...
SATANÉ KAIBA, IL N'OUBLIE JAMAIS DE L'OUVRIR EN GRAND !

UN PETIT RAPPEL DE LA RÈGLE DE CE JEU...
CELUI QUI VIENT D'ATTAQUER TERMINE SON TOUR EN POSITION D'ATTAQUE...
CE QUI VEUT DIRE QU'AU TOUR SUIVANT, IL DOIT S'ATTENDRE À UNE CONTRE-ATTAQUE...

HÉ HÉ...
EN ESPÉRANT QUE LE TOUR QUE TU VIENS DE JOUER NE TE SOIT PAS FATAL...

À MOI, MAINTENANT !!!
Hi
CETTE CARTE ...!!

BLAM
AVANT DE TIRER UNE AUTRE CARTE, JE VAIS METTRE CETTE CARTE DE MAGIE DANS LE JEU !

LA CARTE DE LA RÉCUPÉRATION "HOLY ELF" !
HOLY ELF (CARTE DE MAGIE)
Elle permet de récupérer 300 points de vie.
HE HÉ...
JE VIENS DE RÉCUPÉRER 300 POINTS DE VIE !
KAIBA
points de vie
900
....!
IL A EXPOSÉ VOLONTAIREMENT LE MINOTAURUS EN SACHANT QU'IL ÉTAIT COUVERT PAR HOLLY ELFE...
TOUT ÇA POUR M'OBLIGER À PASSER À L'ATTAQUE !!!
HE HÉ...
VLAF
SUR CE TOUR, J'AJOUTE DEUX CARTES !
LES CARTES QUE JE VIENS DE TIRER...
DONG
BLUE EYES WHITE DRAGON ★★★★★★★★
LA FUSION

ET VOILÀ LES TROIS DRAGONS RÉUNIS !!
BLUE EYES WHITE DRAGON
Attaque 3000
Défense 2500
BLUE EYES WHITE DRAGON
Attaque 3000
Défense 2500
LA FUSION
ET ENFIN, LA CARTE DE "LA FUSION" !
GRO
FUH FUH...
GRO
KTCHAC
GRO
GRO
HE HE... SUR CE TOUR, JE PLACE UN DRAGON EN MONSTRE PRINCIPAL !
ENCORE UN TOUR ET JE POURRAI LES FAIRE FUSIONNER ...!
YUGI !!!
ON COMMENCE À ENTREVOIR LA FIN DU DUEL !!
SLOWING. DISK !!
GYULULULULU

À MOI ! LE WHITE DRAGON !!!
ZDOOODOOOM
BLUE EYES WHITE DRAGON
Attaque 3000
ZDOOODOOM
ZDOOODOOOM
LE BLU EYES WHIT DRAG !!!
IL A FINI PAR LE SORTIR...

ZRULLI
ZRULLI
BURST STREAM !!!
LES MINABLES SONT BALAYÉS !
ZGROOOM
YÛGI, PRENDS GARDE À TOI...
OOOM
URGL...
IL NE TE RESTE PLUS QUE 100 POINTS... HÉ HÉ...
À TOI DE JOUER !
GRR ...!!
YÛGI
Points de vie
100

LE GÉANT DE PIERRE
Attaque 1300
Défense 2000
URKS...
LE GÉANT DE PIERRE SE MET EN POSITION DE DÉFENSE...
ET JE TERMINE MON TOUR...!
YUGI...
CETTE VICTOIRE QUI M'A ÉTÉ REFUSÉE LORS DE NOTRE PREMIÈRE RENCONTRE... L'AMERTUME DE MA DÉFAITE... JE SUIS ENFIN SUR LE POINT DE QUITTER CETTE SOUFFRANCE QUI M'A TOURMENTÉ TOUT CE TEMPS !
TU VAS AUSSI CONNAÎTRE LE PRIX DE LA DÉFAITE !!!
GROOO

GROO
GROOO
GROO
EN AVANT POUR LA GRANDE FUSION !
GROO
GROO
OUAH... C'EST...!!

BLUE EYES
WHITE DRAGON
Attaque 3000
Défense 2500

GROo GROo
ゴゴ
ON Y VA !!!
Gyuuuuu
LES TROIS DRA-GONS RÉU-NIS !!
Uuuuuuu
!!
Battle 104
LE VÉRITABLE DANGER !!

Battle 104
LE VÉRITABLE DANGER !!
ZDOM
BLUE EYES ULTIMATE DRAGON !!
C'EST ÇA... LA FUSION DES TROIS DRAGONS !!
YÛGI
points de vie
100

ZDOOOOOOOM
WAH HA HAH HA !!

YŪGI, REGARDE BIEN ÇA !!
VOILÀ LE TUEUR DANS SA FORME LA PLUS ABOUTIE !!
ZDOOODOOOM
ZDOOODOOOM
ZRUU ZRUU
4500 POINTS D'ATTAQUE POUR LES DRAGONS QUI ONT FUSIONNE !!!
KAIBA VISAIT ÇA DEPUIS LE DÉBUT...
BLUE EYES ULTIMATE WHITE DRAGON
Attaque 4500

ON DIRAIT QUE LE MATCH EST PRESQUE TERMINÉ !
IL N'EXISTE RIEN QUI PUISSE STOPPER CETTE ATTAQUE !

ZRUU ZRUU

COMMENT LUTTER CONTRE UN MONSTRE DE 4500 POINTS...?
MES CARTES DE PLUS DE 1500 POINTS SONT INFECTÉES PAR LE VIRUS !!
ET IL NE ME RESTE PLUS QUE 100 POINTS DE VIE !!
100
À LA PREMIÈRE ATTAQUE, C'EST FINI POUR MOI !!

ZRUU
ZRUU
AUCUNE DE MES CARTES NE PEUT LUTTER CONTRE LE DRAGON DANS SA FORME ULTIME...!!

ZRUU ZRUU
JE VAIS FINIR PAR PERDRE !!
YÛGI !!!
日本の星
YÛGI !!!
GROO GROOOO
YÛGI, J'ESPÈRE QUE TU ES PRÊT ?
LA CROIX DE LA DÉFAITE QUE J'AI SI LONG-TEMPS PORTÉE...
... EST SUR LE POINT DE CHANGER D'ÉPAULE !
GROO GROO
TU RAMPERAS, FACE CONTRE TERRE...
KAIBA
Points de vie
900
ON Y VA !
ZDOOODOOOM
L'ATTAQUE DE BLUE EYES ULTIMATE WHITE DRAGON !

ULTIMATE BURST !
GROOO GROOOOO
LE DRAGON A L'INTENTION D'ATTAQUER MES CARTES, PAS LE MONSTRE PRINCIPAL QUI EST EN DÉFENSE !
LES AUTRES CARTES SONT EN POSITION D'ATTAQUE ...!
S'IL RÉUSSIT À ATTEINDRE L'UN DES MONSTRES, C'EST FINI POUR MOI !
KAAAH
...!!

ドキュ!!
DOKYUUU
ウウウウウ
UUUUUN
URKS ...!!
RÉCUPÉRATION DU MONSTRE
PFHH
PAS GRAVE...
JE N'AI ÉLIMINÉ QU'UNE CARTE DE MAGIE SANS INTÉRÊT...
IL NE LUI RESTE AUCUNE ISSUE POUR S'ÉCHAPPER !
MA VICTOIRE EST ASSURÉE !!!

ALLEZ, YÛGI ! C'EST À TOI DE JOUER .
SI TU NE VEUX PAS ABANDONNER, TIRE UNE CARTE.
...
ZRUU
ZRUU
ZRUU
YÛGI ! NE LAISSE PAS TOMBER !!!
YÛGI !
TIENS BON !

ON EST VENUS POUR LE CHÂTEAU DE PEGASUS, ON Y EST PRESQUE ARRIVÉS !
SI TU CAPITULES MAINTENANT, CETTE PORTE RESTERA FERMÉE POUR L'ÉTERNITÉ !

SOUVIENS-TOI DE LA PROMESSE FAITE À TON GRAND-PÈRE !
TU LUI AS PROMIS DE BATTRE PEGASUS !!!
!

YUGI... TU NE DOIS PAS AVOIR PEUR DE PERDRE...
C'EST DANS CES MOMENTS QUE LA VÉRITABLE FORCE APPARAÎT !
PAPY...

UHM...

BIEN !
GARDE CETTE TRONCHE ! ON SENT QUE TU AS LE FIGHT EN TOI !
QUE LA DÉESSE DE LA VICTOIRE SOIT AVEC TOI !

C'EST ÇA !! RÉSISTE JUSQU'AU BOUT !
JE VAIS ME FAIRE UN PLAISIR DE BALAYER TES DERNIÈRES FORCES !!

VLAM
JE NE VAIS PAS CAPI-TULER !!!

LA CARTE QUE JE VIENS DE TIRER !

LA FUSION !!!
"LA FLÈCHE MAGIQUE"...
LA FLÈCHE MAGIQUE
Elle transfère le pouvoir magique de son équipe au monstre adverse.
LA FUSION
NON !
JE NE PEUX RIEN FAIRE AVEC CES CARTES...

SUR CE TOUR, JE PLACE LES DEUX CARTES DANS LE SUB CARD STAGE !
JE LAISSE LE "GÉANT DE PIERRE" EN POSITION DE DÉFENSE ET JE TERMINE MON TOUR !!
SI, AU TOUR SUIVANT, KAIBA ATTAQUE "LE CIMETIÈRE DES MAMMOUTHS", JE PERDS LA PARTIE !
ZRUU ZRUUU

À MON TOUR !!!

QUELLE CARTE ATTAQUER ...?
JE VAIS ME FIER À MON INSTINCT ET M'EN PRENDRE AUX CARTES MASQUÉES...

CE N'EST PAS SANS DANGER...
SI JAMAIS IL Y A UNE CARTE PIÈGE, JE RISQUE GROS...

BON... JE VAIS JOUER LA SOLUTION LA PLUS REPOSANTE...
J'EXPLOSE LE "GÉANT DE PIERRE" !!!
DOKYUUUN
ULTIMATE BURST !!

WUOOO
J'AI SURVECU À CE TOUR...!!
YÛGI
Points de vie
100
J'AI ENCORE UNE CHANCE !!!
HE HE HE... MAIS, YÛGI !!!
TU N'AS AUCUN ATOUT EN MAIN !
IL N'EXISTE AUCUNE CARTE POUR BATTRE CE DRAGON !
WA HA HA HA HA !!!
SI !
JE SUIS PERSUADÉ QU'IL EXISTE UN MOYEN !!

GROo GROo GROo
UN MOYEN POUR BATTRE L'ULTIMAT DRAGON
SI JE NE SURMONTE PAS LA PROCHAINE ATTAQUE, JE PERDS...
VOILÀ LE MOMENT DE VÉRITÉ !!!
À MOI DE JOUER !!!

JE MISE TOUT SU LA CARTE QUE JE VAIS TIRER !!
ZBAAAM
YUGI...
QUELLE QUE SOIT LA CARTE...
INU-TILE !
!!
CETTE CARTE...
HE HE HE...
JE VIENS DE TIRER UNE CARTE GÉNIALE !
CETTE CARTE, C'EST...
QUOI ?!

JE PLACE CETTE CARTE EN MONSTRE PRINCIPAL !
DOM
KRIBOW
Attaque 300
Défense 200
ET JE LA METS EN POSITION D'ATTA-QUE !!
PLOP
EUH... IL A PAS L'AIR TRÈS BALAISE...
...
IL HALLUCINE ? UN MONSTRE D'UN NIVEAU D'ATTAQUE DE 300 POINTS...
LE KRIBOW...
COM-MENT ?
EN POSITION D'ATTAQUE ?!?!

KRUU KRUU KRUU !!!
YUGI, TU ES LIBRE DE NE PAS ABANDONNER LA PARTIE...
GRUUU
MAIS CE N'EST TOUT DE MÊME PAS UNE RAISON POUR M'ATTAQUER AVEC CE MINUS !
CE MONSTRE EST LE PLUS FAIBLE QUE L'ON PUISSE TROUVER DANS L'UNIVERS DE MAGIC AND WIZARDS !
JE N'AI ENCORE JAMAIS VU UN TYPE JOUER AVEC LUI !
YUGI !!!
SI TU AS MIS CETTE CARTE POUR TE MOQUER DE NOTRE DUEL, JE NE TE LE PARDONNERAI JAMAIS !
KAIBA, TU FAIS FAUSSE ROUTE !
C'EST MA CARTE MAÎTRESSE !!!
LA CARTE POUR VAINCRE TON ULTIMATE DRAGON !
BLANG
QUOI...? QU'EST-CE QU'IL RACONTE ?!
BATTRE MON DRAGON AVEC CETTE DEMI-PORTION ?!
ON Y VA !!!
KRiii

JE DÉCLENCHE LA CARTE DE LA "PROLIFÉ-RATION" !!
DOM
MAIS... C'EST...!!
CETTE CARTE PERMET DE MULTIPLIER LES MONSTRES QUI ONT MOINS DE 500 POINTS D'ATTAQUE.
LES MINUS SE MULTIPLIENT ?!?!

ZBOOOOOOOOM
ABSURDE !! CES MINUS, JE VAIS TOUS LES CARBONISER !!!
ZRUU
ZRUU
À L'ATTA-QUE !!!
HÉ HÉ...
TU AS RAISON, CE MONSTRE FAIT PARTIE DES PLUS FAIBLES !
MAIS IL FAUT RESTER VIGILANT !!!
SA PUISSANCE CACHÉE EST INSONDABLE !!!

ULTIMATE BURST !!
GROO
GROO
ゴゴゴ
ZDOM
ZDOM
ZDOM
URKS !!!
QUOI ?!
CES MINUS...? ILS ONT LA CAPACITÉ DE...
... S'AUTODÉTRUIRE ?!
À L'INSTANT MÊME OÙ J'ATTAQUE, ILS EXPLOSENT ET RÉDUISENT LA PORTÉE DE MON COUP...
TOUT À FAIT !
QUAND ILS RESSENTENT UN CONTACT OU UNE ATTAQUE, ILS S'AUTODÉTRUISENT !
EN CLAIR... TON ATTAQUE NE POURRA PAS ATTEINDRE MES CARTES !

URKS...
CES DEMI-PORTIONS...
L'UN APRÈS L'AUTRE...
LEUR QUANTITE NE CESSE D'AUGMENTER !!
!!
ILS NE CESSERONT DE SE REPRODUIRE QUE SI ON LES ÉLIMINE TOUS !
SI TOUS LES KRIBOWS DISPARAISSENT, IL SERA POSSIBLE DE RÉDUIRE MES POINTS DE VIE À ZÉRO !
MAIS AVANT ÇA...
DOM
JE PROFITE DE MON TOUR POUR JOUER MON DEUXIÈME ATOUT !

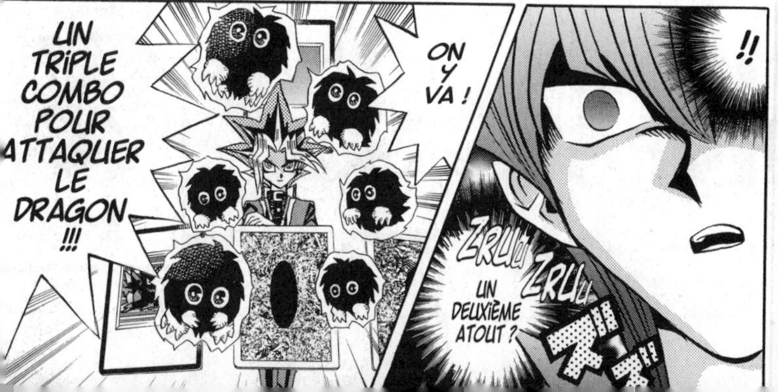
!!
ZRUU ZRUU
UN DEUXIÈME ATOUT ?
ON Y VA !
UN TRIPLE COMBO POUR ATTAQUER LE DRAGON !!!

LE "CIMETIÈRE DES MAM-MOUTHS" !!
LA "FUSION" !!!
DONG
DONG
ET LA "FLÈCHE MAGIQUE" !!!
LA CARTE DE LA "FLÈCHE MAGIQUE" PERMET D'ATTRIBUER MON POUVOIR DE MAGIE AU MONSTRE ADVERSE !
QUOI ?!
LA FLÈCHE MAGIQUE
Elle transfère le pouvoir magique de son équipe au monstre adverse.
LA FUSION
TRIPLE COMBO
METIÈRE DES AMMOUTHS
Attaque 1200
Défense 800
EN FAIT, L'ULTIMATE DRAGON VA FUSIONNER AVEC LA CARTE DU "CIMETIÈRE DES MAMMOUTHS" !!

ZDO
IL A FAIT FUSIONNER SA CARTE AVEC CELLE DE MON ULTIMATE DRAGON ?!
ZDOM
KAIBA, ON DIRAIT QUE LA CHANCE TOURNE !!
LE BLUE EYES WHITE DRAGON TIRE SA FORCE DE L'ÉLÉMENT DE LA LUMIÈRE...
S'IL FUSIONNE AVEC UN MONSTRE ISSU DES TÉNÈBRES...
SOUS L'ACTION DES EFFETS CONTRADICTOIRES, LE DRAGON VA SE DÉCOMPOSER !!
ZRUU
ZRUU
KAIBA !!

Battle 105 UN COMBAT IMPITOYABLE

!!
YŪGI A AJOUTÉ UN AUTRE MONSTRE SUR LES DRAGONS QUI ONT FUSIONNÉ ?!
ZRUu
ZRUu
ZRUu
MAIS QU'ES CE QUI...
SHUUUUUU

SHUUUU
GLOUNKS
GLOUNKS

J'AI FAIT FUSIONNER LA CARTE DU "CIMETIÈRE DES MAMMOUTHS".
LA LUMIÈRE ET LES TÉNÈBRES SONT EN OPPOSITION. LEURS EFFETS RESPECTIFS S'ANNULENT.
LE RÉSULTAT, C'EST QUE LE DRAGON COMMENCE À SE DÉCOMPOSER !

LE "CIMETIÈRE DES MAM-MOUTHS" POSSÈDE UN NIVEAU D'ATTAQUE DE 1200 !!
À CHAQUE TOUR, LE DRAGON VA PERDRE 1200 POINTS.
URKS...
MON ULTIMATE DRAGON...
LE CIMETIÈRE DES MAMMOUTHS
Attaque 1200
Défense 800
BAM
LA CHANCE EST EN TRAIN DE TOURNER !!!
KAIBA !!!
IL COMMENCE À SE DÉCOMPOSER...
SHUUUUU
ZRUU ZRUU
GRRR...
J'AI UNE CARTE DE MAGIE QUI ANNULE L'ATTAQUE... MAIS ELLE NE PEUT RIEN CONTRE LA DÉCOMPOSITION DE MON DRAGON...
BLUE EYES ULTIMATE WHITE DRAGON
Attaque 4500
-300
-300

UN COMBO FAÇON "COUP DE THÉÂTRE" ! C'EST DU GRAND ART !
YÛGI ! JE SAIS QUE TU PEUX TE FAIRE KAIBA !
YÛGI !!!

YÛGI ! CONTI-NUE COMME ÇA !
KAIBA ! YÛGI N'EST PAS UN AMATEUR, RETIENS BIEN ÇA !
YÛGI...
MÊME DANS LES MOMENTS LES PLUS CRITIQUES... JE CROIS EN TOI !
YÛGI...
IL A RÉUSSI À SE DÉBARRASSER DU REDOUTABLE DRAGON DE KAIBA.
VOILÀ UN MEC QUI SAIT TIRER PARTI DES PIRES SITUA-TIONS...
KTCHOC KTCHOC
YÛGI, CE FOUTU GAMIN... IL EST SALEMENT EFFICACE...

YÛGI
Points de vie
100
ZRUU ZRUU
GRRR...
CE N'EST PAS FINI...
LE DUEL N'EST PAS ENCORE TERMINÉ !!
KAIBA
Points de vie
900

ズドドド
ZDOODOOM
ULTIMATE DRAGON ! PASSE À L'ATTAQUE !!

GROOOO
ULTIMATE BURST !!
BLUE EYES ULTIMATE HITE DRAGON
taque 3300
INUTILE !
TANT QUE LES KRIBOWS SERONT DANS LES AIRS, TES ATTAQUES NE M'ATTEINDRONT PAS !

ZBAAAM
URKS...
CES MINUS ...
BOUM

MES COUPS SONT NEUTRALISÉS, MON DRAGON PERD DES POINTS D'ATTAQUE À CHAQUE TOUR...
J'AI DÉJÀ CINQ CARTES DANS MON JEU, JE NE PEUX PAS EN TIRER DE NOUVELLES...!
JE TIRE ENCORE UNE NOUVELLE CARTE ET JE TERMINE MON TOUR !

YUGI... IL COMPTE LAISSER POURRIR LA SITUATION...!
KAIBA...
... JE CROIS QUE LES JEUX SONT FAITS !

GLOUPS
MOI...
PAS POSSI-BLE...!!
...PERDRE ?!?!
ZLORPS
ZLORPS
SI JE PERDS MAINTENANT, JE NE POURRAI PAS DÉLIVRER MOKUBA...
!
MON FRÈRE...

ZLURP
ZLURP
ZLURP
MON FRÈRE ...!!
À L'AIDE ! AIDE-MOI !!
MO-KU-BA...
ZLURBS
MON...
À L'AIDE ...
BLOP
ドロ ドロ
BLOP

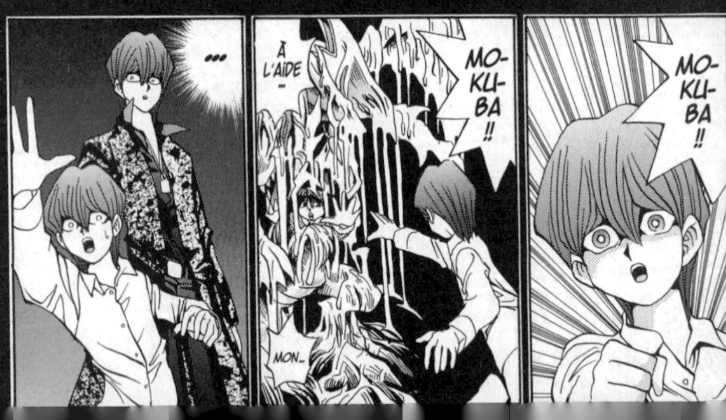
MO-KU-BA !!
MO-KU-BA !!
À L'AIDE ...
MON...
...

ZLURBS
!
ZLURP
KRIÏSH
MO-KU-BA-AA-AA-AA !!!
BIONG
DONG
HAH

MOKUBA...
BLUE EYES ULTIMATE WHITE DRAGON
Attaque 2100

...
KAIBA... TU LAISSES PASSER CE TOUR SANS RÉAGIR...?

REGARDEZ KAIBA ! IL EST COMME TÉTANISÉ !
ÇA VEUT DIRE QU'IL A ADMIS SA DÉFAITE !!
IL EST EN TRAIN DE LAISSER PASSER SON TOUR...
SON DRAGON CONTINUE À PERDRE DE LA PUISSANCE !!

ZRUU
ZRUU
ZRUU
BLUE EYES ULTIMATE WHITE DRAGON
Attaque 900

BIEN ! MAINTENANT, JE PEUX ENFIN ATTAQUER LE DRAGON !
KAASH
À MOI DE JOUER !!!
JE LIBÈRE TOUTES MES CARTES !
J'ENLÈVE LE KRIBOW ET JE CHANGE DE MONSTRE PRINCIPAL !
FLAF
LE CHEVALIER ELFE
★★★★★★
Attaque 1400
Défense 1200
BLAM
LE CHEVALIER ELFE !
IL VA ATTAQUER LE DRAGON !!
DASH

ZBAAAAM
BLUE EYES ULTIMATE WHITE DRAGON Attaque 900
CHEVALIER ELFE Attaque 1400
C'ES ÇAAA !!!
!
LE DRAGON N'EST PAS ENCORE MORT !!
IL A JUSTE PERDU UNE TÊTE !
!!
SON DRAGON EST LE RÉSULTAT DE LA FUSION DE TROIS AUTRES DRAGONS...
CHACUNE DES TÊTES POSSÈDE SA PROPRE CAPACITÉ D'ATTAQUE !

MAIS AU TOUR SUIVANT... SI LE CHEVALIER L'ATTAQUE, IL PEUT GAGNER !!

YÛGI ...
LA PARTIE NE FAIT QUE COM-MENCER ...

TON ATTAQUE M'A FAIT PERDRE 500 POINTS DE VIE...
C'EST POUR CA QUE...
KAIBA
Points de vie
400

UNE CASE DE CE TABLEAU REPRÉSENTE 100 POINTS DE VIE...
JE VAIS RECULER DU NOMBRE DE POINTS QUE JE VIENS DE PERDRE.

COM-MENT ?

J'AI PERDU 500 POINTS, JE RECULE DE CINQ CASES !

ZWAP

KAIBA ...!
!!

GROOOOOO
JE NE PEUX PAS RECULER PLUS.
À TA PROCHAINE ATTAQUE, JE PERDRAI LA VIE !
KAÏBA !!
MON DESTIN EST DE MOURIR PAR LES CARTES !
KAÏBA!!!

URKS...

KAIBA ! NE FAIS PAS LE CON, C'EST DANGEREUX !
QUEL ABRUTI !
KAIBA, T'ES VRAIMENT IGNOBLE !
TU COMPTES UTILISER CETTE RUSE POUR EMPÊCHER YUGI DE T'ATTAQUER ?
T'ES VRAIMENT UNE ORDURE !!!
ET SI...
ET S'IL LE FAISAIT VRAIMENT ...?
...!
HYA HA HA HA !
IL SE LA JOUE THÉÂTRAL ! TOTALEMENT INCOMPRÉHENSIBLE !

ZRUU
ZRUU

YUGI...
AU TOUR SUIVANT, ON VA SAVOIR SI TU ES UN VÉRITABLE DUELLISTE.
!
COMME SI TU T'OBSERVAIS DANS UN MIROIR...
LE MOMENT DE VÉRITÉ, CELUI OÙ TON CHOIX DEVIENT DÉCISIF...
SI TU TE SURPASSES, TU TE DÉBARRASSES DE MOI ET TU GAGNES LA PARTIE.

SI J'ÉTAIS DANS TA SITUATION, JE N'AURAIS AUCUN SCRUPULE POUR TE JETER AU FOND DE CE PRÉCIPICE.
UHM...
MAIS LE DUEL N'EST PAS ENCORE TERMINÉ...
JE TIRE UNE NOUVELLE CARTE...
FLAF
VOILA MA CART
LA RÉSURRECTION DES MORTS
JE PEUX FAIRE RESSUS-CITER LE DRAGON !
RES-SUS-CITER LE DRAGON !!!
ZRUu
ZRUu

DOM
MAINTENANT, J'AI UN WHITE DRAGON QUI DISPOSE DE SES PLEINES CAPACITÉS !
MAIS À CAUSE DE LA FUSION, JE SUIS OBLIGÉ D'ATTENDRE LE TOUR SUIVANT !
MAINTENANT, C'EST À TOI DE JOUER !

Attaque 3000
Attaque 900
Attaque 900
SI J'ATTAQUE LE DRAGON DE 900 POINTS, JE GAGNE LA PARTIE !
MAIS KAIBA Y LAISSERA SA VIE...

YÛGI ! TRANCHE-MOI LA GORGE AVEC TA CARTE !!
BLAM

JE...
JE NE DOIS PAS PERDRE ...

JE NE DOIS SURTOUT PAS PERDRE !!

KAIBA, TU ES PRÊT !!

ZDOOOVOOOM
ドドドド
!!

UN COMBAT IMPITOYABLE (fin)

ZGROOOOOOO
URH...
YÛGI
Points de vie
0
URH...

http://www.
mangakana.com
Vous en rêviez,
Kana l'a fait!
Retrouvez Kana et toute son équipe sur le net!
Actualités, infos exclusives,
dialogues en direct, avant-premières...
Tout ce que vous avez toujours voulu savoir
sur les mangas et leur univers
sans jamais oser le demander!
Une seule adresse, rien que pour vous :
大
www.mangakana.com

YU-GI-OH!

7, avenue P-H Spaak - 1060 Bruxelles
3ème édition

First published in Japan in 1996 by Shueisha Inc., Tokyo
French language translation rights in France arranged by Shueisha Inc.
Première édition Japon 1996

Dépôt légal d/2000/0086/372
ISBN 2-87129-256-6

Conception graphique : Les Travaux d'Hercule
Traduit et adapté en français par Sébastien Gesell
Lettrage : Eric Montésinos

Imprimé en Italie par G. Canale & C. S.p.A. - Borgaro T.se (Torino)

R.C.L.

AOUT 2012

A A3